河南
化学化工制造业绿色发展战略研究

赵玉芬
侯翠红　编著
屈凌波

化学工业出版社
·北京·

内容简介

本书聚焦于河南省化学化工制造业绿色发展，通过系统梳理该行业的发展态势与格局，对河南省化学化工行业所面临的发展问题与困境进行了深度剖析，探讨了不同化工产业的发展模式及其驱动因素。基于理论分析和实证研究从多个维度提出了推动行业绿色发展的建议：在顶层设计层面，优化产业布局，积极融入国内外行业规划体系；在技术创新维度，强化科技创新能力，大力发展循环经济；从产业链视角出发，强化化工制造产业链，借助产品高值化路径推动制造过程的绿色化；在人才培养方面，高度重视化工学科建设，提升基础研究水平以及专业人才培养能力；建议设立新技术推广应用产业基金，助力行业实现数字化、智能化与绿色化转型。

本书适用于化学化工行业从业者，有助于其获取行业绿色发展新思路，还可为决策机构、行业协会制定政策和规划提供参考依据，也可作为大中专院校师生研究河南化学化工产业发展的学习资料。

图书在版编目（CIP）数据

河南化学化工制造业绿色发展战略研究 / 赵玉芬，侯翠红，屈凌波编著. -- 北京 ：化学工业出版社，2025. 10. -- ISBN 978-7-122-49005-6

Ⅰ. F427.61

中国国家版本馆CIP数据核字第202594JD75号

责任编辑：刘　军　孙高洁
责任校对：李雨函
装帧设计：王晓宇

出版发行：化学工业出版社
（北京市东城区青年湖南街13号　邮政编码100011）
印　　装：北京天宇星印刷厂
710mm×1000mm　1/16　印张 $10^{1}/_{4}$　字数164千字
2025年11月北京第1版第1次印刷

购书咨询：010-64518888　　售后服务：010-64518899
网　　址：http://www.cip.com.cn
凡购买本书，如有缺损质量问题，本社销售中心负责调换。

定　　价：98.00元　

本书咨询委员会

前言

在全球加速向绿色、低碳、可持续发展转型的时代浪潮下，推动经济社会发展绿色化、低碳化，已然成为实现高质量发展、构建人与自然和谐共生现代化的核心要义与关键路径。在此时代背景下，各地积极响应号召，依据市场规律，因地制宜，综合运用产业结构优化与政策工具组合，全力构建绿色低碳产业体系，探寻契合本地资源禀赋与发展定位的特色绿色发展之路。

河南省的化学化工制造业，作为省内工业经济的中流砥柱之一，在全国产业格局中亦占据重要地位，为河南乃至全国的经济发展与社会进步做出了卓越贡献。然而，随着全球绿色发展趋势的日益强化，河南化学化工产业发展中的深层次矛盾逐渐凸显，产业结构欠佳、技术水准偏低、市场竞争力薄弱、资源利用效率不高等问题成为制约其可持续发展的瓶颈。在此形势下，河南化学化工制造业迫切需要一场全方位的绿色革命，通过技术创新、产业升级与模式转变，突破发展困境，顺应时代发展需求，实现从传统高能耗、高污染产业向绿色、低碳、循环的现代化产业的华丽转身。

《河南化学化工制造业绿色发展战略研究》正是在这一时代背景与产业需求下应运而生。本书聚焦河南化学化工制造业绿色发展战略，综合运用文献研究、问卷调查、线上访谈、实地调研、案例分析、专家咨询等多种研究方法，从国际与国内双重视角、学术与政策多个层面，深入剖析化学化工制造业绿色发展现状，系统梳理化工行业发展态势与格局，精准洞察河南省化工行业现存问题与发展困境，并针对不同化工细分产业，深入探讨其发展模式与驱动因素。最终，结合河南实际，在煤化工、新材料、化工新材料、尼龙材料、盐化工、生物质产业、新能源材料、精细化工等重点领域，提出具有针对性与可操作性的决策建议，旨在为河南省乃至我国化工行业绿色发展提供科学指导，助力我国化工行业迈向低碳绿色、智能高效、数字赋能的高质量发展新征程。

本书共设13章，内容涵盖绪论、河南化工产业集聚区绿色发展战略、各细分化工产业绿色发展战略、河南化学化工制造业绿色发展的SWOT分析及策略研究等，全书由赵玉芬、侯翠红、屈凌波策划、组织和统稿，本书编写人员由多位化学化工领域学术根基深厚、实践经验丰富的专家与青年学者共同组成，主要分工如下：绪论由侯翠红、王利国、苗俊艳编写、河南化工产业集聚区绿色发展战略由屈凌波、李涛、徐丽、任保增编写、河南煤化工产业绿色发展战略由刘国际、张振洲、杨娜娜编写、新材料产业绿色发展战略由王利国、侯翠红、李松杰、禹晓梅编写、化工新材料产业发展战略由张永胜、关红玲、侯翠红编写、尼龙材料产业绿色发展战略由李青彬、罗晓强、苗俊艳编写、生物质产业绿色发展战略由屈凌波、许敬亮、张永胜编写、盐化工产业绿色发展战略由苏东、谷守玉、何昊泽编写、新能源材料产业绿色发展战略由周震、马炜、王睿龙编写、精细化工产业绿色发展战略由化全县、李文鹏、段锟编写、河南化学化工制造业绿色发展的SWOT分析由赵玉芬、屈凌波、侯翠红编写、河南化学化工制造业绿色发展策略由赵玉芬、屈凌波、刘国际、王利国、侯翠红编写、河南化学化工制造业绿色发展战略研究由赵玉芬、屈凌波、刘国际、王利国、侯翠红编写。同时得到项目咨询专家委员会的大力支持。在此，对全体编写人员和咨询专家的辛勤付出致以诚挚谢意。

本书的编著与出版得到了多个项目的大力支持，包括中国工程科技发展战略河南研究院战略咨询研究项目《河南化学化工制造业绿色发展战略》（2023HENYB03）、河南科技智库课题《双碳目标下河南传统产业转型升级现状调研——以化工行业为例》（HNKJZK 2022 - 03A）、河南省本科高校研究性教学改革研究与实践项目

（2022SYJXLX002）、郑州大学重点教改项目（2024ZZUJGXM013，YJSJY202306）、侯翠红名师工作室以及教育部中原地区化学工程与工艺专业虚拟教研室等。研究团队在项目资助下，开展了多维度、全方位的调研工作，系统收集与深入分析行业数据，确保研究内容既具权威性又具实用性。项目咨询委员会的专家们凭借丰富的专业知识与实践经验，从研究方向把控到具体观点雕琢，均给予了细致且专业的指导；项目管理单位在资源协调、组织保障等方面提供了全方位支持，为研究工作的顺利推进保驾护航。在此，向所有支持与帮助本书出版的单位及个人表示衷心感谢。

在本书创作过程中，编写团队始终秉持严谨治学、精益求精的态度，力求精准呈现河南省化学化工制造业绿色发展的现状、问题与战略路径。然而，鉴于河南化学化工制造业体量大、发展快，新情况、新问题层出不穷，加之时间与研究视野的局限，书中难免存在调研不够全面、分析不够深入，甚至个别内容存在疏漏之处，恳请批评指正。

我们深知，学术研究是一个不断探索、持续完善的过程。衷心期望各位读者在阅读本书时，能将发现的问题与宝贵建议反馈给我们。您的意见不仅是对我们研究工作的有力鞭策，更是推动本书内容优化、助力河南化学化工制造业绿色发展理论研究不断深化的重要动力。我们期待与广大读者携手共进，为河南乃至我国化学化工制造业的绿色可持续发展贡献更多智慧与力量。

编著者
2025 年 6 月

目录

第1章

绪论

1.1　化工产业绿色发展聚类分析

1.2　化学化工制造业双碳背景研究

1.3　化工产业绿色发展政策导向

党的二十大报告明确指出，推动经济社会发展绿色化、低碳化，是实现高质量发展的关键环节，并对“推动绿色发展，促进人与自然和谐共生”作出全面部署，强调必须牢固树立和践行“绿水青山就是金山银山”的理念，站在人与自然和谐共生的高度谋划发展。当前，绿色经济已成为众多国家和地区追求的发展目标，成为驱动世界经济发展的重要力量。

步入新发展阶段，我国经济在创新、协调、绿色、开放、共享的新发展理念引领下，大步向高质量发展迈进。国家提出“碳达峰”“碳中和”目标，旨在积极应对气候变化问题，这一举措立足新发展阶段、贯彻新发展理念、构建新发展格局，核心在于转变经济发展方式。在“双碳”背景下，绿色、低碳、循环发展已然成为时代的最强音。“双碳”目标为我国工业迈向高质量发展设立了更高标准，提出了更严要求。

化学化工制造产业作为国民经济基础性和支柱性产业，产业规模庞大、产业链条长、资本与技术密集、带动作用广，与国计民生密切相关。

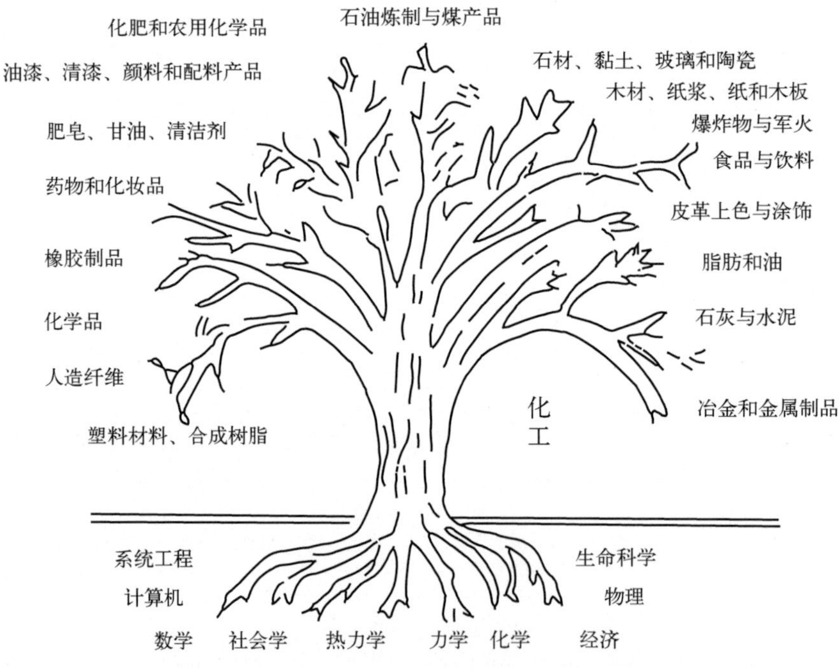

图 1-1　化工产业的多元分支与基础支撑学科示意图

图 1-1 以树的形象展示了化工产业的结构。树干代表化工产业，树枝上标注的各种产品展示了化工产业产品的多样性和应用的广泛性。如化肥助力农业增

产，油漆用于工业和建筑装饰。树根部分的系统工程、计算机、数学、物理等学科，则是支撑化工产业发展的理论与技术基础。

我国化工产业虽占有重要地位，但与国际先进水平相比，存在结构欠佳、技术水平有限、国际竞争力不足、环保压力大以及安全管理不到位等突出问题。在行业发展趋势上，绿色可持续发展已成为化工行业发展主流。化工产业发展，安全是前提，环保是关键，转型升级是核心，都离不开科技创新。科技创新是实现化工产业安全、环保以及转型升级的关键，通过加强技术创新、优化工艺流程以减少碳排放是化工行业绿色可持续发展最主要的途径。这也明确了产业升级转型方向，即产品高端化、资源集约化，应加大技术与科技创新投入，优化发展结构，从而实现减排降碳、提质增效与健康发展。

从能源消费情况看，随着工业化、城镇化的快速发展，我国能源消费快速增长。2006 ～ 2023 年，全国能源消费总量从 28.6 亿吨标准煤增长至 57.2 亿吨标准煤，其间增长了 28.6 亿吨标准煤。基于应对能源安全、生态环境和气候变化等重大问题，国家推出能源“双控”政策，并从“十一五”时期开始设定能耗约束目标，取得了阶段性的成效。随着 2030 年碳达峰和 2060 年碳中和目标的提出，中国将实行更加严格的能源“双控”措施。化学化工制造业既是二氧化碳排放行业，也是二氧化碳回收利用行业，是实现碳达峰、碳中和的重要力量。在“双碳”目标下，化学化工产业如何转型升级实现绿色发展备受关注。

具体到河南省化学化工制造业，作为河南工业经济的支柱产业，2023 年全省有规模以上化工企业 1378 家，营业收入 5769 亿元，同比增长 2.4%，为我省经济和社会发展做出了较大贡献。但河南化学化工产业面临结构不优、技术水平低、竞争力弱、资源利用率不高等瓶颈。2024 年河南省三次产业结构为 8.6 ∶ 38.3 ∶ 53.1。

河南工业在经济总量中的占比虽有所下降，但仍是河南经济快速发展的支柱产业，河南也正在朝着先进制造业强省的目标迈进。传统工业仍然占有较大比例，资源开发型和消耗型产业如煤炭、石油和天然气、黑色和有色金属等产业比重仍较大，导致低端制造业产能过剩，而以高技术制造业和战略性新兴产业为代表的先进制造业虽然在近些年发展迅速，但与国内经济发达地区相比，中高端制造业存在发展不足、发展受阻、占比较小等问题，仍存在很大发展空间。因此，当前河南工业内部结构亟需进一步优化，工业发展的整体科技含量、工业发展层次和层级等都有待进一步提升，需优化空间布局，以推动产业转型升级。

综上所述，在当前时代背景下，河南省化学化工制造业绿色发展和产业升级面临着巨大的挑战和机遇，迫切需要开展绿色革命和技术升级，以优化产业结构，提升发展质量。

1.1 化工产业绿色发展聚类分析

基于中国知网（CNKI）数据库，对化学化工、绿色发展、低碳、煤化工、石油化工、新材料、尼龙材料、生物质、盐化工、新能源、精细化工、氟化工、化工产业集聚区、战略研究等 24 个相关主题词进行检索，以时间节点 2000 ～ 2024 年按相关度排序获得 18668 篇关联文献（关键词共现频次≥ 30），并将所有文献记录导入 VOSviewer 软件中进行研究领域关键词聚类分析。

可以看出，我国石油化工、煤化工研究起步较早且研究较多；现代煤化工的发展聚焦于碳中和、低碳、多元化的发展理念；新能源、氢能、可再生能源发展快速，符合国家双碳发展战略。化工新材料产业作为国家战略性新兴产业，发展备受关注；生物质产业研究不断加强。目前，煤化工仍占据产业主导地位。未来，化工产业将以低碳经济为根本，创新技术为引领，引领行业的整体发展。

1.2 化学化工制造业双碳背景研究

1.2.1 国际碳排放现状分析

根据经济合作与发展组织（OECD）的最新数据，至 2023 年，全球已有 57 个国家成功实现碳达峰。其中，美国、俄罗斯、日本、巴西、印度尼西亚、德国、加拿大、韩国、英国和法国等碳排放大国均已达到碳排放峰值。

世界主要国家 2018 ～ 2023 年的碳排放数据，2023 年全球碳排放量达 351.30 亿吨，中国碳排放量达 115.5 亿吨，居全球首位，碳排放量约占全球碳排放总量的 32.9%；其次是美国 46.40 亿吨、印度 28.14 亿吨、俄罗斯 16.15 亿吨和日本 10.13 亿吨。

截至 2024 年 5 月，已有 35 个国家将碳中和目标写入法律，包括丹麦、法国和德国等，这些国家通过立法确保目标实施的强制性。相对于西方约 260 年的工业发展史和国际产业转移迁出方，中国作为国际产业转移承接方，目前年人均碳排放量虽已超过全球平均，但历史总量和人均累计排放远不及西方，意味着我国的“双碳”目标实现时间更紧、难度更高。

1.2.2 我国碳排放现状分析

碳达峰、碳中和事关全球可持续发展和人类命运共同体建设。目前，全球已有 136 个国家和地区宣布了碳中和目标，其中大部分国家计划在 2050 年实现这一目标。2020 年 9 月 22 日，国家主席习近平在第七十五届联合国大会上明确提出，中国将于 2030 年前碳达峰，2060 年前实现碳中和目标。2021 年 3 月 5 日，国务院政府工作报告中指出，扎实做好碳达峰、碳中和各项工作，制定 2030 年前碳排放达峰行动方案，优化产业结构和能源结构。这充分展现了我国积极应对全球气候变化、构建人类命运共同体的大国担当。

中国碳排放目前呈现总量高、单位 GDP 高、人均低的特点。截至 2023 年，我国碳排放呈现逐年上升的趋势。根据《世界能源统计年鉴 2024》显示，2023 年我国碳排放量已达到 115.5 亿吨，占全球比例为 32.9%，约为美国的 2.5 倍、欧盟的 4.6 倍。从单位 GDP 碳排放量来看，我国处于中位水平，与较发达国家仍有较大差距，需进一步努力。

中国碳排放呈现“能源活动占主导，化石能源为主体，行业相对集中”的特点。我国的碳排放主要集中在发电、钢铁、建材、有色、石化、化工、造纸、航空等重点行业，这八个行业占到了我国碳排放的 75% 左右。

我国实现碳达峰和碳中和面临碳排放总量大、时间紧、产业结构偏重、能源结构偏煤、能源利用效率偏低和低碳技术研发的挑战。

1.2.3 河南省碳排放现状分析

根据中国碳核算数据库公开发布的碳排放数据，自 2014 年以来，河南省二氧化碳排放量基本稳定在 4.5×10^8 ～ 6×10^8t 之间，如图 1-2 所示。从 2014 年起排放量呈现逐年小幅下降的趋势，可能与河南省能源结构的逐步优化有关。2021 年，河南省人均二氧化碳排放量约 4.5t，为全国人均二氧化碳排放量 7.6t 的 59.2%；从排放源（行业）来看，能源活动，尤其是煤炭相关产业是最主要的碳排放源，占比超过排放总量的 80%；石油天然气行业和水泥产业的二氧化碳排放量分别约占排放总量的 10% 和 7%。

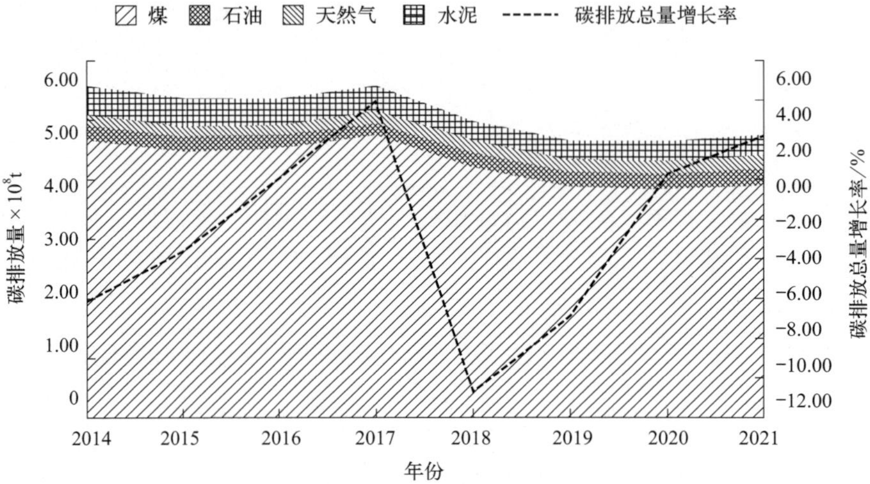

图 1-2　河南省碳排放情况

受河南省高耗能产业占比较大的产业结构影响，电力及供热相关行业是二氧化碳排放的主要贡献者，其排放占比接近全省总排放的 50%。以 2021 年为例，电力 / 蒸汽 / 热水的生产与供应相关行业的二氧化碳排放达到 2.55×10^8 t，占总排放量的 52.7%；黑色金属冶金产业和非金属矿物制品业二氧化碳排放量也相对较大，分别占总排放量的 10.2% 和 9.4%。河南省二氧化碳排放量超过 1×10^7 t 的有七大领域，分别为电力 / 蒸汽 / 热水的生产与供应、黑色金属冶金业、非金属矿物制品业、煤炭开采与选矿、运输 / 仓储 / 邮电服务、有色金属冶金业以及城镇排放，推动这些产业的技术升级和新能源的扩大使用将是实现碳中和目标的关键。

1.2.4　国际国内及河南省一次能源消费结构对比

在全球一次能源消费结构中，石油占比最大。2023 年全球石油消耗占比 31.7%；其次是煤炭消耗约占比 26.5%，天然气占比 23.3%，其他可再生能源、核能占比约 18.5%。而在中国和河南省的能源消费结构中，煤炭占比最大。

中国是世界第一能源消费大国，煤炭消费量占比较大。2023 年，我国一次能源生产总量为 48.3 亿吨标准煤，煤炭消费占一次能源消费总量的比重为

55.3%，石油占比 18.3%，天然气占比 8.5%，水电、核电、风电、太阳能发电等非化石能源占比 17.9%。与十年前相比，煤炭消费占能源消费比重下降了 12.1%，水电、核电、风电、太阳能发电等非化石能源比重提高了 7.7%。

河南省作为中国工业、农业的浓缩典型，“双碳”目标下，绿色低碳发展也更为紧迫和艰难。能源活动是二氧化碳排放的主要来源，河南省富煤贫油少气的资源禀赋特征也决定了长期以来以煤炭为主导的能源消费结构，见图 1-3。

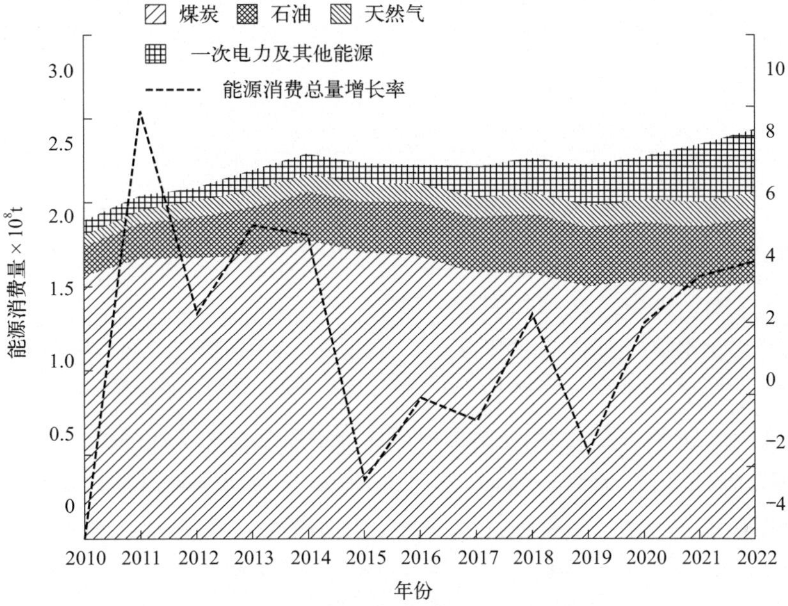

图 1-3　河南省能源消费及增长情况

自“十二五”以来，河南省能源消费总量逐步增长，但增长速率明显减缓，“十三五”期间的能源消费总量年均增速由“十二五”期间的 4.5% 下降至 0.7%。同时，随着全省经济发展加速转型、结构深化调整以及污染防治工作的推进，煤炭在能源消费中的占比持续下降，近十年来下降了 17.3%；天然气、一次电力及其他能源消费占比则逐步提高，比“十二五”初期分别提升了 2.1% 和 10.7%。2022 年，河南省能源消费总量为 2.44×10^8 吨标准煤，比 2021 年增长了 3.8%，占全国能源消费总量 5.41×10^9t 的 4.5%。其中，煤炭消费占比为 62.7%，折合标煤约为 1.52×10^8t，较上年增长 2.0%；石油消费 3.83×10^7t，占比为 15.7%，较上年增长 4.1%；天然气消费 1.58×10^7 t，占比为 6.5%，较上年增长 5.3%；可再生能源消费 3.68×10^7t，占比为 15.1%，较上年增长 7.2%。

1.2.5 我国碳达峰及结构能源变化预测

（1）能源消费总量　预计 2030 年前我国能源需求仍将保持较快增长，2050 年左右实现能源需求总量达峰。

（2）化石能源　化石能源是目前中国一次能源消费的主体，预计煤炭、石油和天然气消费分别于 2025 年、2030 年和 2040 年达峰。煤炭的占比降幅最为明显，天然气作为最清洁的化石能源占比还将提升。到 2060 年，煤炭和石油的能源消费几乎为零，仅保留部分化工需求，天然气或将作为能源应急响应需求少量存在。

（3）非化石能源　2022 年非化石能源占比约为 17.5%，预计 2030 年将达到 26.0%，2060 年接近 100%。受成本不断降低等利好因素影响，光伏和风电 2030 年前是增量能源需求的增长点，2030 年后又将成为替代存量能源需求的主力军。核电作为光伏和风电的补充，但因为公众对于安全性的担忧难以成为主力能源。水电受制于河流资源潜力，增长空间有限。

我国化工行业碳减排面临合成氨、炼油、甲醇等基础化工产品的减碳压力和下游应用行业对原料的控碳减碳压力。合成氨、炼油、甲醇等基础化工产品的生产过程中碳排放较高，如传统的煤制甲醇工艺生产 1t 甲醇要排放 3t 左右的二氧化碳。这些行业是化工产业的基础，产量巨大，要实现减碳目标，需要对生产工艺进行优化和技术升级。随着经济的发展和技术的进步，化工产品的下游应用领域不断扩大，对关键化工产品的需求持续增加。然而，下游行业对原料的控碳减碳要求也在不断提高，这就使化工行业在满足市场需求的同时，还要兼顾碳减排的任务，增加了碳减排的难度。

为了实现化工行业的碳减排目标，还需要政府、企业和科研机构等各方共同努力。政府应出台相关的政策法规，鼓励企业采用低碳技术，加大对碳减排研发的投入；企业要积极落实碳减排措施，加强技术创新和管理；科研机构要加强对低碳技术的研究和开发，为化工行业的碳减排提供技术支持。

1.3 化工产业绿色发展政策导向

实现“双碳”目标是党中央经过深思熟虑做出的重大战略决策，事关中华民族永续发展和构建人类命运共同体。科技创新是同时实现经济社会发展和

“双碳”目标的关键。我国及河南省关于化工行业绿色发展先后出台了一系列政策。

2021年12月，工信部印发《“十四五”工业绿色发展规划》，提出全面提升绿色制造水平，工业产业结构绿色低碳转型取得显著成效，规模以上工业单位增加值能耗降低13.5%，单位工业增加值二氧化碳排放降低18%。2022年4月，工信部印发《关于“十四五”推动石化化工行业高质量发展的指导意见》，提出提升创新发展水平、推动产业结构调整，优化调整产业布局，推进产业数字化转型，加快石化行业绿色低碳发展。2024年1月，工业和信息化部网站对《原材料工业数字化转型工作方案（2024—2026年）》进行解读。

2022年11月，河南省工业和信息化厅、河南省发展和改革委员会、河南省科学技术厅、河南省生态环境厅、河南省应急管理厅发布了《关于“十四五”推动河南省化工行业高质量发展的指导意见》，指出要加强技术创新突破，大力发展化工新材料和精细化学品；加快产业数字化转型，提高本质安全和清洁生产水平，推动河南省化工产业高端化、园区化、绿色化、一体化发展。2023年3月，河南省工信厅印发了《河南省工业领域碳达峰实施方案》，提出全省工业实现制造模式深度变革，调整产业结构，高效推动节能降碳，积极推行绿色制造，大力发展循环经济，加快应用绿色技术，加速推进数字转型。

我国及河南省关于化工行业绿色发展出台的政策，体现出化工产业以下发展导向。

1.3.1 国家层面

（1）调整优化产业结构　构建清洁高效低碳的能源消费结构，有序推进煤炭减量替代，鼓励建设工业绿色微电网，提升绿色电力消纳比例。推进原料替代，增强天然气、乙烷、丙烷等原料供应能力，提高绿色低碳原料比重，推广短流程工艺技术，推动传统产业形成集群化、差异化的绿色低碳转型新格局。

（2）加快技术研发推广　实施绿色低碳先进技术示范工程，加快非化石能源、化石能源清洁高效利用、绿氢减碳等源头减碳类项目，以及先进低碳石油化工、全流程规模化CCUS等过程降碳和末端固碳类项目的示范、应用和推广。发布相关技术和产品目录，为推动石化化工产业转型升级提供技术支撑。

（3）推动数字化转型　印发《原材料工业数字化转型工作方案（2024—2026年）》和《石化化工行业数字化转型实施指南》，以夯实数字化转型基础、深化数字技术赋能应用等为着力点，全面提升行业核心竞争力。明确提出到 2026 年，关键工序数控化率达到 85% 以上，数字化研发设计工具普及率达到 75% 以上等目标。

1.3.2 河南省层面

（1）推动产业集聚高端发展　促进全省化工产业集聚化、协同化、高端化发展，着力建设一批布局结构优、配套完善、支撑带动性强的现代化工基地。推动新建化工项目向原料及清洁能源匹配度好、环境容量充足、节能环保低碳的化工园区集中，建立园区化工项目入园评估制度。

（2）加强技术创新与耦合发展　加大传统煤化工转型升级力度，加快煤基化学品向精细化学品和化工新材料延伸。支持引导煤化工企业因地制宜、合理有序开发利用绿氢，推进煤化工与绿电、绿氢等产业耦合示范，推广使用碳捕获封存与利用（CUUS）、绿电制气等降碳技术。

（3）推进绿色制造与资源利用　全面推广绿色化工制造技术，实现化工原料和反应介质、生产工艺和制造过程绿色化。鼓励企业加强磷钾伴生资源、工业废盐、矿山尾矿以及黄磷尾气等资源化利用和无害化处置，推动废塑料、废弃橡胶等废旧化工材料再生和循环利用。

“十四五”时期，我国生态文明建设进入以降碳为重点战略阶段，是步入减污降碳协同增效、促进经济社会发展全面绿色转型、实现生态环境质量改善由量变到质变的关键时期。实现“双碳”目标是推动经济社会发展全面绿色转型的重要引领，应以能源绿色低碳发展为抓手，加快步入节约资源和保护环境的绿色低碳高质量发展道路。

参考文献

[1]【数据解读】河南省绿色低碳转型存在的问题与建议 [EB/OL]. (2021-09-07).

[2] 中研顾问 .“碳中和”专题系列研究报告：中国碳达峰碳中和现状 [EB/OL]. (2021-07-29).

[3] 河南省人民政府关于印发河南省“十四五”现代能源体系和碳达峰碳中和规划的通知，豫政〔2021〕58 号 [EB/OL](2021-12-31).

[4] 深圳可持续发展研究院 . 双碳科普系列 08 中国碳排放的基本特征 [EB/OL].(2022-01-04).

[5] 侯正猛 , 熊鹰 , 刘建华 , 等 . 河南省碳达峰与碳中和战略、技术路线和行动方案 [J]. 工程科学与技术 , 2022, 54 (1): 23-36.

[6] 国家统计局 . 中国统计年鉴 2024[M/CD]. 中国统计出版社，2024.

[7] 河南省统计局 . 河南省统计年鉴 2024[M/CD]. 中国统计出版社，2024.

[8] BP plc. (2023). BP Statistical Review of World Energy 2023. London: BP plc, 2023, 72:12.

[9] 陕西公共资源交易服务 . 中国碳达峰碳中和时间表与路线图 [EB/OL].（2022-08-10）.
[10] 苏小环 . 走进碳达峰碳中和 | 碳达峰—世界各国在行动 [EB/OL]. (2021-01-19).
[11] 中国中央人民政府 . 能源供给保障有力 节能降碳成效显著——新中国 75 年经济社会发展成就系列报告之十三 [EB/OL]. (2024-9-19).
[12] 河南省统计局 . 省统计局核算处处长张喜峥解读 2024 年全省 GDP 数据 [EB/OL]. (2025-01-18).
[13] 工业和信息化部 .《原材料工业数字化转型工作方案（2024—2026 年）》解读 [EB/OL]. (2024-01-26).

第 2 章

河南化工产业集聚区绿色发展战略

2.1 河南化工产业集聚区发展现状

中国石油和化学工业联合会化工园区工作委员会调研统计数据表明，截至2024年11月，各省公布的已认定化工园区有695家，其中国家级化工园区（包括位于国家级经济技术开发区、高新区、保税区、新区中的园中园）71家。截至2023年，化工园区产值占行业总产值比重已达到62%左右，随着化企入园、化工园区改扩区、企业园区化等进程加快，有望实现六部委提出的“2025年化工园区产值占行业总产值70%以上”的目标。

河南省化工园区认定有44家、专业化工园区18家。2022年9月8日，河南省人民政府公布了开发区名单，明确了184个开发区的名称、主导产业、空间布局、发展目标等，39个化工开发区进入名单，主要有开封精细化工开发区、洛阳孟津区先进制造业开发区、焦作经济技术开发区、平顶山高新技术产业开发区、鹤壁宝山经济技术开发区、濮阳工业园区等。

据河南省石油和化学工业协会统计表明，河南省拥有以化工产业为主导产业的产业集聚区47个，分布于全省15个地级市和2个直管县。河南化工产业集聚区逐渐形成了各自的优势和特色，如濮阳、洛阳偏重石油化工，开封以精细化工和化工新材料为主，壮大产业集群，平顶山则力图打造“尼龙城”，许昌襄城县集中发展硅材料，叶县、南阳依托资源优势打造以盐化工为主的产业集群。各产业集聚区不断整合资源、扩大产业链、调整产业结构，从注重发展总量向发展质量转移，从注重规模向注重产业特色转移，将不断实现产业转型升级，朝着绿色低碳方向发展。

2021年9月初，河南省委工作会议提出实施优势再造战略，推动产业基础优势向现代产业体系优势转变。2022年河南公布了首批战略性新兴产业集群（图2-1），旨在通过打造这些战略性新兴产业集群，强健产业链、优化价值链、提升创新链，加快构建实体经济、科技创新、现代金融、人力资源协同发展的现代产业体系。

目前，河南已经培育了4个国家级战略性新兴产业集群：郑州市下一代信息网络产业集群、郑州市信息技术服务产业集群、平顶山市新型功能材料产业集群和许昌市节能环保产业集群。这些国家级、省级战略性新兴产业集群，将成为河南应对外部环境变化和经济下行压力的“变压器”，促进稳就业、稳增长的“稳定器”，建设现代化河南、实现经济高质量发展的“助推器”。

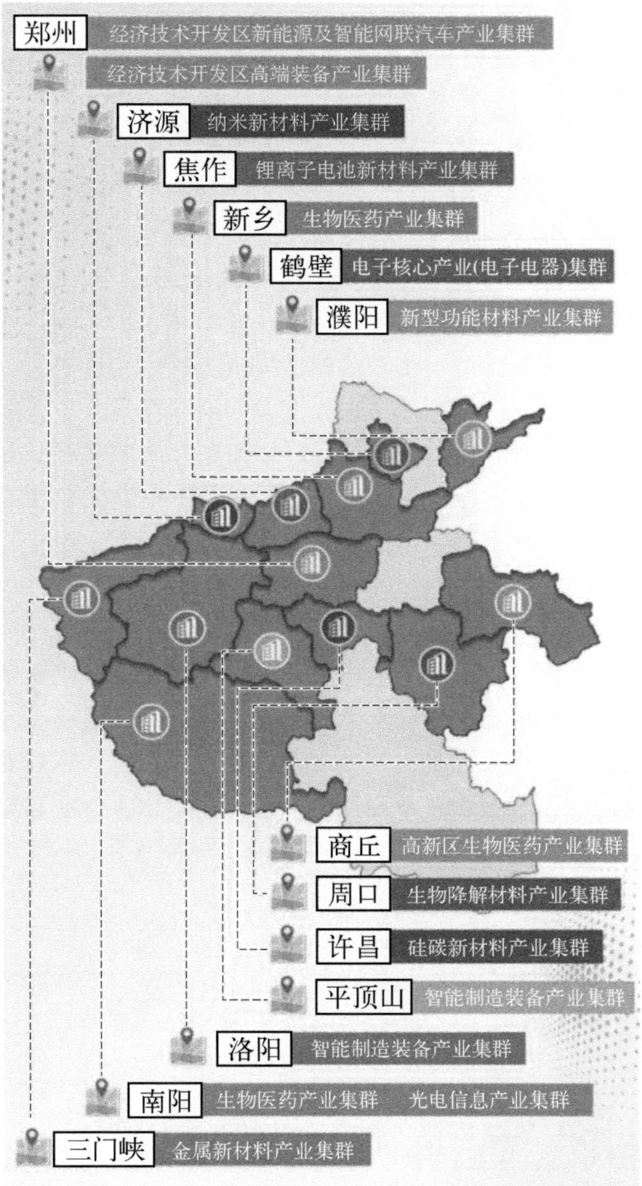

图 2-1 河南省首批战略性新兴产业集群

河南化工产业集聚区在绿色发展方面取得了一定成效，主要体现在以下几个方面：

（1）园区绿色化建设稳步推进 部分园区入选绿色化工园区名录，如平顶山尼龙新材料开发区入选中国石油和化学工业联合会公布的绿色化工园区名录（2023 年），成为河南省唯一入选的化工园区。卫辉铁西化工园区也在积极创建河南省绿色工业园区，已取得显著成效。

（2）循环经济产业链逐步完善　平顶山尼龙新材料开发区延伸循环经济产业链，促进了园区企业资源互相利用，实现了工业废弃物的减量化和资源化。桐柏县化工产业集聚区围绕硝碱化工主业，集聚起“四条生态经济循环链”，将天然纯碱生产中的废渣、废气、废液和废水全部实现资源化利用或循环利用。永城经济技术开发区的合成气生物发酵一步法制无水乙醇项目，可利用园区上游企业含碳、含氢尾气及二氧化碳为原料生产乙醇，减少二氧化碳排放。

（3）资源利用效率不断提高　平顶山尼龙新材料开发区工业用水重复利用率达 95% 以上，开发熔盐储能技术，推广厂房屋顶光伏约 25 万平方米，每年产生绿电 3000 万千瓦时，近 3 年引导企业实施节能技术改造项目 21 个。2023 年 1 ～ 10 月，单位工业增加值能耗同比下降 2.4%。

（4）清洁能源应用有所发展　河南省积极推进氢能与化工等行业的融合发展，中原油田增量配电网风电制氢示范、河南平煤神马东大化学 16MW 光伏制氢示范、华久氢能屋顶光伏发电制氢等首批三个可再生能源制氢示范项目已全部开工建设，其中中原油田增量配电网风电制氢示范项目已建成投产。

（5）政策支持体系逐步健全　河南省及各地市出台了一系列支持化工产业绿色发展的政策文件，如《关于“十四五”推动河南省化工行业高质量发展的指导意见》《河南省氢能产业发展中长期规划（2022—2035 年）》等，为化工产业集聚区的绿色发展提供了政策引导和支持。

然而，河南化工产业集聚区绿色发展也面临一些挑战，如部分园区基础设施有待进一步完善，一些企业的绿色技术创新能力还不足，碳达峰、碳减排任务仍然艰巨等。

2.2　绿色化工园区评价指标体系

绿色化工园区是在园区产业发展、基础设施、资源利用、环境绩效、园区管理等方面贯彻资源节约、生产安全和环境友好等可持续发展理念的化工园区。2021 年 5 月，我国工业和信息化部发布《绿色化工园区评价导则》（HG/T 5906—2021），规定了绿色化工园区评价的基本要求、评价指标体系、评价实施方法与指标计算方法，适于各类化工园区开展绿色发展评价。该导则从产业发展、基础设施、环境绩效、资源利用和园区管理5个方面通过37项评价指标对化工园区绿色发展水平进行评估，为化工行业开展绿色化工园区评价工作提供有效依据，具体见表2-1。

表2-1 绿色化工园区评价指标体系

一级指标	序号	二级指标	单位	指标要求	分值
产业发展（16分）	1	化工行业主营业务收入	亿元	≥ 100	3
	2	化工企业中高新技术企业占比	%	≥ 20	3
	3	产业关联度（化工类）	%	≥ 40	5
	4	绿色工厂示范企业	个	≥ 1	2
	5	工业企业清洁生产通过审核率	%	≥ 60	3
基础设施（17分）	6	工业供水体系	—	建立	2
	7	企业集中供热比例	%	≥ 80	3
	8	工业废水收集处理体系	—	建立体系	4
	9	危险废物处置利用能力	—	—	2
	10	公共管廊覆盖率	%	≥ 50	3
	11	建设园区环保监测监控体系及应急配套能力	—	建立	3
环境绩效（30分）	12	生态环境保护投资比例	%	≥ 2.0	3
	13	大气环境质量达标率	%	≥ 70	3
	14	地表水环境质量达标率	%	≥ 80	3
	15	地下水环境质量达标率	%	≥ 80	3
	16	土壤环境质量不超过建设用地土壤污染风险管控标准要求的比例	%	≥ 80	3
	17	单位工业总产值化学需氧量（COD）排放量	kg/万元	≤ 0.15	3
	18	单位工业总产值氨氮排放量	kg/万元	≤ 0.02	3
	19	单位工业总产值二氧化硫排放量	kg/万元	≤ 0.5	3
	20	单位工业总产值氮氧化物排放量	kg/万元	≤ 0.5	3
	21	单位工业总产值挥发性有机化合物（VOCs）排放量	kg/万元	≤ 10	3
资源利用（23分）	22	单位工业总产值综合能耗	tce/万元	≤ 2.0	3
	23	单位工业总产值新鲜取水量	m^3/万元	≤ 10.0	3
	24	工业固体废物综合利用率	%	≥ 70	3

续表

一级指标	序号	二级指标	单位	指标要求	分值
资源利用（23分）	25	工业用水重复利用率	%	≥ 90	3
	26	中水回用率	%	≥ 10	2
	27	单位土地投资强度	亿元 /km^2	≥ 30	3
	28	单位土地主营业务收入	亿元 /km^2	≥ 20	3
	29	单位土地税收	亿元 /km^2	≥ 1.5	3
园区管理（14分）	30	建立项目准入退出机制	—	建立	2
	31	信息公开制度	—	建立	1
	32	化工园区综合管理信息平台	—	建立	2
	33	建立绿色发展组织机构	—	建立	2
	34	绿色发展省部级以上荣誉称号	—	—	2
	35	建立并落实产业发展规划	—	建立	2
	36	建立专业第三方服务机制	—	建立	1
	37	践行责任关怀	—	建立	2
合计					100

① tce：吨标准煤当量。

2.2.1 产业发展

产业发展包括产业规划科学性、产业关联度、高端产业占比、项目准入管理等指标，旨在评估园区的产业布局是否合理，是否有利于资源循环利用和产业链延伸，以及是否注重发展高端、绿色化工产业。

2.2.2 基础设施

基础设施涵盖公用工程配套、公共管廊建设、污水处理设施、危险废物处置设施、应急救援设施等方面，应考察园区的基础设施是否完善，能否满足园区企业的绿色发展需求，以及在应对环境风险和突发事件时的保障能力。

2.2.3 环境绩效

环境绩效主要涉及环境质量达标率、污染物排放强度、碳排放强度、环境管理体系建设等指标，用于衡量园区在环境保护方面的成效，包括空气质量、水质、土壤环境等方面的表现，以及对污染物和碳排放的控制水平。

2.2.4 资源利用

资源利用包括水资源循环利用率、能源利用效率、土地资源利用效率、资源综合利用率等指标，反映园区在资源节约和综合利用方面的水平，鼓励园区实现水资源的循环利用、提高能源利用效率，以及合理利用土地资源和废弃物资源。

2.2.5 园区管理

园区管理包含管理机构与制度建设、绿色发展规划与目标、信息公开与公众参与、科技创新与人才培养等指标，强调园区管理的科学性和规范性，以及在推动绿色发展方面的组织保障、规划引领、公众参与和创新能力。

通过对以上指标的综合评价，可以全面、客观地反映化工园区的绿色发展水平，为园区的持续改进和升级提供指导依据，推动化工园区实现高质量、可持续发展。绿色化工园区的评价工作采取化工园区自评自报及专家现场审查评议相结合的方式进行。根据化工园区绿色评价分值，综合得分 80 分以上的可参加绿色化工园区评选。

2.3 河南化工产业集聚区发展问题剖析及发展对策

目前，河南省化工产业集聚区已形成了内部要素有效支撑、上中下游相互协同、大中小企业融通发展的格局，产业集聚优势逐步显现，承载能力得到进一步提升，但部分绿色化工园区在规划初期，对产业定位缺乏清晰认知，存在“大而全”盲目建设的现象，导致园区内企业产业关联度低，难以形成有效的产业链协同效应。在管理方面，园区管理部门缺乏统一的协调机制，各部门职责不清，使得绿色发展政策在执行过程中出现断层，难以有效落实。例如，一些园区在环保监管、能源管理等方面，不同部门各自为政，信息无法共享，降低了管理效率。通过分析化工产业集聚区绿色发展存在的主要问题，针对性地提出了以下发展对策。

（1）产业规模亟待壮大　化工产业集聚区产业链条不完整、不闭合，区内尚未形成原料、产品供应链条，企业间关联度不强；投产项目少，在建项目不多，招商项目落地不快。需整合园区资源优势，重点围绕化工产业下游高附加值产业链进行精深加工，延链补链，耦合升级，由基础化工产品向绿色低碳的新产品、新能源、新材料等延伸发展，加强园区企业间的紧密合作，实现园区高质量发展。

（2）动能转换迫在眉睫　化工产业集聚区创新驱动能力不强，工业化和信息化融合不够，传统产业层次不高，智能化、数字化水平普遍较低，新兴产业培育不足。大力推进“互联网＋”“机器人＋”工程，围绕装备制造、新材料等产业，积极推进企业智能化技术改造，实现“设备换芯”“生产换线”“机器换人”，提升产品质量和制造效率，助推传统制造业转型升级。鼓励大型企业建立“互联网＋”供应链云平台，实现购产销转型；大力推进智能车间、智能工厂；建议加快信息化建设步伐，建设化工产业信息和贸易中心，形成较完善的信息网络体系，推进化工产业升级和健康发展。河南重点培育高端石化等千亿级产业链，发展氯碱化工、功能材料、氟化工等特色产业链，促进传统化工向绿色化、精细化工转型。

（3）自主创新能力不足　化工产业集聚区缺乏有国际竞争力的先进适用技术、尖端装备和先进制造工艺以及下游高附加值产业配套生产技术。一方面，企业研发投入有限，难以开展关键技术的自主研发；另一方面，高校、科研机构与园区企业之间的产学研合作机制不健全，导致许多科研成果无法实现产业化应用。以CCUS技术为例，虽然该技术在化工行业减碳中具有重要作用，但由于技术成本高、应用难度大，且缺乏有效的推广机制，在园区内的应用范围有限。

河南化工产业创新能力不强，原创技术、高新技术和高端石化产品技术还存在较多短板；产业创新体系整体效能不高，科研机制不能完全匹配化工产业绿色发展的要求。以煤化工产业为例，应以提升产品竞争力为核心，积极引进有国际竞争力的先进适用技术、尖端装备和先进制造工艺，进一步深加工焦炉煤气、煤焦油、苯和焦炭（半焦），发展氢气、甲醇、苯酚、酚醛树脂等高端产品，延伸甲醇产业链条，大力发展甲醛、二甲醚、乙酸、烯烃、芳烃等。

（4）人才短缺与公众认知不足　绿色化工园区的发展需要大量专业技术人才和管理人才，但目前园区普遍面临人才短缺的问题。化工产业从业者生产技能不高，高层次、高技能创新人才缺乏。中小型化工企业自身生产技术和管理水平低，导致化工人才缺失，难以引进高层次、高技能人才；从业者学历与能力不相匹配，行业内缺乏系统的技能培训。产业集聚区应以面向产业服务为原则，建设化工人才培养基地，健全人才培养、引进、流动、评价、选拔和激励等机制，建立完善人才引育机制，落实“1+6”人才政策体系，完善园区生活配套设施，大力引进高层次人才和创新创业团队。

（5）改革释放的动力不足　集聚区体制机制改革不够深入，发展模式不够清晰；现代企业制度不够完善，参与市场化竞争能力不强。要强化企业主体作用，加强创新平台建设，强化基础研究，支持优势行业技术创新，积极培育创新人才，加快建立以企业为主体、市场为导向、产学研相结合的技术创新体系，激发企业创新能力和活力。

（6）要素保障不强劲　融资平台建设发展不快，融资能力较弱，基础设施和公用工程投资力度小，支撑能力差，距现代化、专业化产业园区的要求还有一定的差距。应依托当地政策，提速建设基础设施，完善园区配套设施。

（7）化工企业发展两极分化严重，龙头企业带动能力偏弱　大多数中小化工企业规模小、对技术开发和产品升级不够重视，创新能力不足；龙头企业带动力偏弱，各企业之间的合作较少，产品创新能力较弱，市场竞争力不强。应加快培育龙头企业，发挥引领带动作用，延伸产业链条；强化协同发展，加强企业间的联动，构建新的产业链条；加强上市辅导，对龙头企业、优质企业做好跟踪对接，主动服务，加快企业上市步伐。

（8）发展空间和国土空间受限，土地效能整体偏低　某些化工产业集聚区内尚有大量基本农田和限制建设区，严重制约了重大项目快速入驻。应优化土地资源，盘活闲置土地、低效用地，提升集聚区土地利用水平。

（9）安全环保压力增加　化工集聚区重大危险源多，安全风险防控压力大，面临的大气污染、水污染治理防治压力大。鼓励企业利用轻量化、集成化等技术，采用绿色环保、高性能新材料，开发绿色产品。以科技创新为驱动，优化生产装置运行，通过技术改造提高装置能源利用效率，节能减排，推动化工产业绿色、低碳、高质量发展。

2.4　河南化工产业集聚区绿色发展建议

以市场需求和国家产业政策为导向，以结构调整和产业升级为主线，以科技创新为动力，以技术改造为手段，按照“扩大规模、集约集聚、循环发展”的总体思路，着力培育产业集群、重点企业和优势产品，促进产业集聚，发展循环经济，优化产业布局，调整产业结构，强化自主创新，推进技术改造和产品升级，提高河南省现代化工行业的整体水平，提升产业综合竞争力。针对河南省化工产业集聚区目前存在的问题，提出以下发展建议以供决策参考。

（1）完善产业结构，形成新的经济增长点　化工产业集聚区充分利用资源优势，按照大型化、集约化、规模化和化工产业循环园区的模式大力发展绿色化工产业，拓宽经济发展领域，优化产业结构，形成新的经济增长点，推进河南现代化工产业集群发展战略的实施和目标的实现。

（2）打造静脉产业链，实现可持续发展　依托大企业或大项目的牵引辐射作用，通过煤炭资源的转化和对化工基本原料、有机中间体进行深度加工、配套延伸和综合利用，使产业园区内实现“静脉”产业链条发展，合理优化利用周边地区的资源和能源，规划绿色化工产品，推行清洁生产工艺，严格控制排放标准，实现产业绿色可持续发展。

（3）大力提升各现代化工产业集群的创新能力　现代化工产业重于在“新”上下功夫，瞄准“卡脖子”技术，实现“进口替代”。要注重科技创新，增强集群创新实力，扩大产业规模，加快现有项目建设步伐，持续优化产业结构。还应培育龙头企业，发挥龙头企业引领带动作用；强化企业协同发展，加快上市步伐。

（4）完善现代化工产业支撑体系　产业集聚区的健康发展离不开完善的公共服务，尤其从成长阶段转入成熟阶段，需要良好的外部环境支撑。①建立完善的化工培训和再教育机制：建议省级以上的化工园区配备相应的中级职业技术院校及以上的培训机构，满足园区企业员工的需求和在职职工的升级再培训。②创建完善的社会网络：鼓励和支持化工产业集聚区内网络和信息服务系统建设，为化工企业提供多方位的信息服务。③发挥社会中介组织的重要作用：培育各种类型的中介机构，规范现有行业协会的运行机制；鼓励行业协会、商会制定地方性法规，以保证产品质量；积极引导企业采用国家或国际上的标准，严厉打击劣质产品，维护行业的整体利益。④建立社会信用体系：整合企业资源，建立企业信用数据库，加强资信评估，健全企业与个人信用的管理制度，引导企业诚信经营，保护区域品牌形象，维护公平竞争，营造良好的市场秩序。⑤转变政府职能：政府应树立为纳税人服务的意识，提供“高效、廉洁、科学”的公共服务，为化工产业发展保驾护航。

（5）注重工业生态，实现集群绿色可持续发展　河南地区占据资源优势，但生态环境较脆弱，在发展工业同时应注重环境保护。化工产业集聚区发展全过程中应正确处理资源开发与生态环境的关系。①发展低碳循环经济：设立化工资源开发技术进步专项资金，通过技术创新，实现资源的综合利用；引进国内外先进的技术和管理方法，提高煤、油、气资源利用率和回采率；淘汰高能耗、高污染的工艺和设备，提高低能耗技术密集型产业的比例。②推进制度完善：遵循“谁开发、谁保护、谁污染、谁治理”的原则，制定化工基地环境保护法，依据重置成本来确定生态环境恢复治理保证金征收标准，积极探索生态环境恢复与保护的长效机制。③培育新的产业增长点：结合河南地域特征，依靠知识创新、体制创新，努力使河南能源资源开发建设由单纯的能源开发逐步演变为依赖与能源相关的增值活动，形成新的产业增长点。

近几年，随着环保力度不断加大和国家实施去产能政策，“小、乱、散、污”企业已经得到了大力整治，以化工为主导的产业集聚区也得到了良好发展。“绿色制造”将引导未来的工业发展，化工产业集聚区是推动化工制造业高质量发展的重要载体。化工产业集聚区的绿色发展，有利于化工产业的可持续发展，进一步彰显化工产业在循环经济、资源综合利用和减碳降耗等方面的作用。

参考文献

[1] 2023 年全国各省化工园区发展情况盘点 [EB/OL]. (2023-12-29).

[2] 中国石油和化学工业联合会 . 河南公布 184 个开发区名单 , 39 个涉及化工 [EB/OL].)(2022-09-16).

[3] 要旭祥 . 河南石化业绿色低碳发展齐发力 [EB/OL]. (2023-04-17) [2024-01-16].

[4] 王冰雪 , 苏东 , 陈奇 , 等 . 浅谈河南省以化工为主导的产业集聚区现状 [J]. 河南化工 , 2018, 35 (9): 3-5.

[5] 苏东 , 邵国斌 , 刘秀伟 , 等 . 河南省化工行业高质量发展的思考 [J]. 河南化工 , 2020, 37 (8): 1-7.

[6] 岳雪纯 . 洛阳市产业集聚区发展研究 [J]. 中国集体经济 , 2022(7): 25-26.

[7] 赵瑞 , 杨箴立 . 开封精细化工产业集聚区产业现状和转型发展研究 [J]. 河南化工 , 2023, 40 (1): 59-62.

[8] 任伟 , 苏振尧 , 张宏峰 . 河南省精细化工产业现状及发展对策建议——以开封精细化工产业集聚区为例 [J]. 广东化工 , 2022, 49 (2): 66-67+73.

[9] 苗俊艳 , 侯翠红 , 李涛 , 等 . 河南省化工产业集聚区绿色发展研究 [J]. 河南化工 , 2024, 41 (4): 14-16+28.

[10] 河南省人民政府 . 河南省公布首批战略性新兴产业集群名单 [EB/OL]. (2022-4-13).

[11] 人民网李玲 . 化工园区成石化行业高质量发展主阵地 [EB/OL]. (2024-11-11).

[12] 石油和化工园区 . 谁是中国最高水平化工园区代表？ 2023 中国化工园区高质量发展综合评价详解 [EB/OL]. (2023-11-03).

[13] 李哲辉 , 张德杨 . 河南省创新型产业集群发展及建议 [J]. 河南科技 , 2024, 51 (15): 154-158.

第3章

河南煤化工产业绿色发展战略

煤化工是指以煤为原料生产各种燃油、燃气和化工产品的工艺过程，一般包括煤炭转化和后续加工两个环节。煤炭转化是指煤炭经过化学反应过程得到气态、液态或其他固态产物的过程，包括煤炭气化、煤炭直接液化、煤炭高温炼焦、低阶煤中低温热解等工艺过程。后续加工主要指以煤制气中的 H_2、CO、CO_2、SO_2 等气体组分为原料进行化工合成，以及对煤炭转化液态产物进行深加工的工艺过程。煤化工产业链见图 3-1。

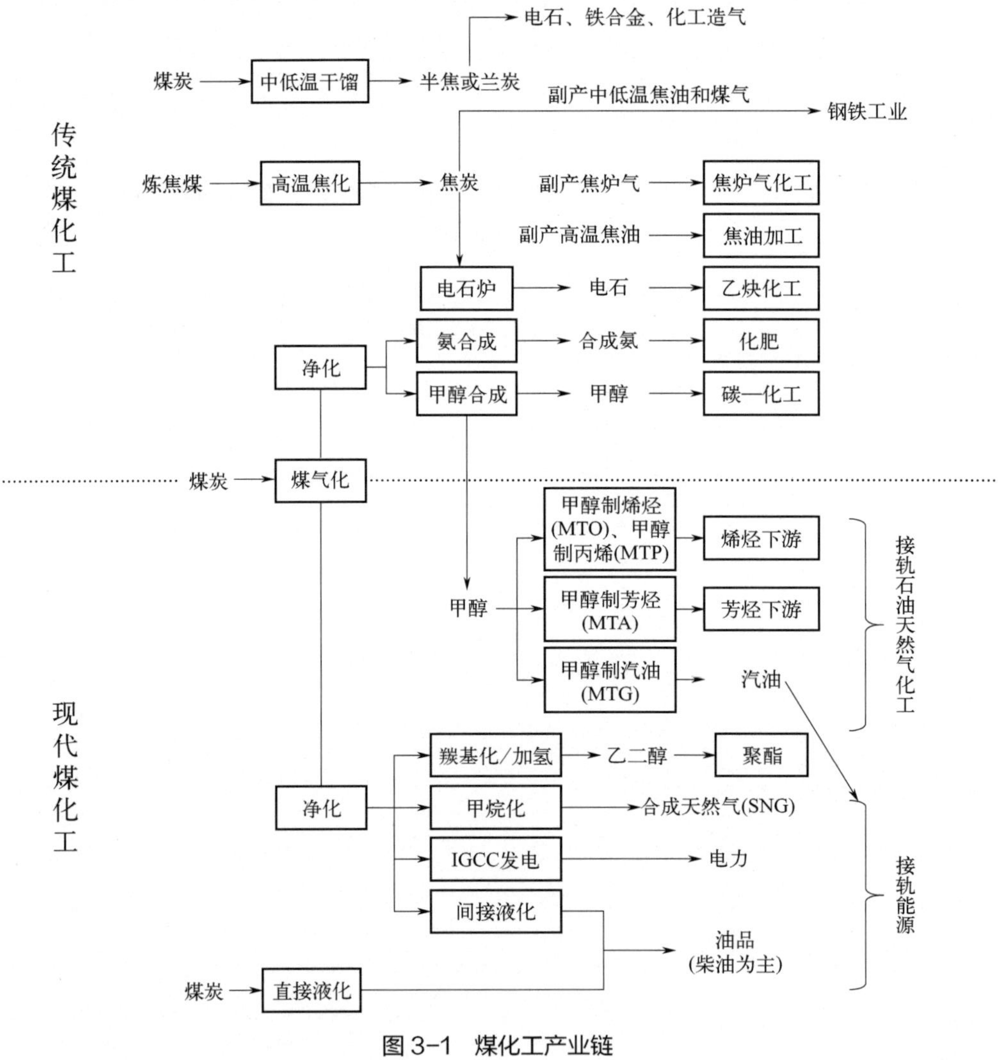

图 3-1　煤化工产业链

IGCC—整体煤气化联合循环

我国现代煤化工自主创新实力强劲，多项核心技术成果处于国际领先地位。其中，煤制烯烃、煤制乙二醇技术开发几乎与国外同步，但工业化水平遥遥领先。在煤基化工材料领域，中国科学院大连化学物理研究所研发的二甲醚 / 甲醇制低碳烯烃（DMTO）工艺成果斐然。2010 年 8 月，神华集团内蒙古包头煤制烯烃项目顺利投运，成为全球首套百万吨级工业化装置，甲醇转化率高达 99.9% 以上，乙烯与丙烯选择性超 80%。后续升级的 DMTO- Ⅱ工艺，更将乙烯、丙烯收率提升至 85% 左右；在煤制乙二醇方面，山西阳煤 40 万吨项目于 2016 年底投产。国内产学研各界将持续攻关，推动技术迭代升级与产能扩张。

在甲醇转化领域，华电集团与清华大学联合开发的流化床甲醇制芳烃（FMTA）技术，开创单一甲醇芳构化制芳烃先河。其万吨级工业化技术经成果鉴定，采用流化床反应器与自主改性分子筛催化剂，甲醇单程转化率 99.99%，甲醇到芳烃的烃基总收率约 75%，配套的陕西榆林 3 万吨 / 年工业化试验装置运行稳定。

煤制油领域，我国已形成完备的技术体系。神华百万吨煤炭直接液化示范工程实现长周期稳定运转；兖矿百万吨级煤炭间接液化项目达设计产能；神华宁煤年产 400 万吨煤制油示范项目也成功实现工业化生产，这些项目充分验证了我国铁基 / 钴基固定床、浆态床煤间接液化技术，以及独创的煤直接液化技术的可靠性与先进性，标志着我国现代煤化工从技术研发到工业化应用均已稳居世界前列。

3.1 全球煤化工产业现状

（1）市场规模　2024 年全球煤化工市场规模接近 4000 亿美元，在地缘政治因素导致石油与天然气供应短缺的情况下，下游需求高速扩张，产业技术发展已有深厚积累，未来将保持较为平稳的发展态势，到 2030 年有望超过 5000 亿美元。

（2）产能分布　全球煤化工产能持续扩大，主要生产国如中国、美国、俄罗斯等的产能占比逐年上升。据统计，全球煤化工产能已超过 10 亿吨 / 年，其中中国产能占比超过 40%。

（3）区域发展　亚太地区占全球煤炭供给的大部分，2023 年占比接近 80%。中国是亚太地区煤炭供给的核心区域，为煤化工产业发展提供了充足原料。从全球煤化工主要供应商分布来看，中国和美国是产业最领先的国家，有大量巨头公司，如中国神华、中煤能源和美国 AirProuducts 等。此外，澳大利亚、加拿大、英国、德国和印度等国家也有知名煤化工企业。

（4）产业结构　煤化工产业结构逐渐优化，高端产品比重上升。如煤制油、煤制天然气等高端产品的产量逐年增加，而传统煤化工产品如合成氨、甲醇等产量增长放缓。据行业报告，高端产品产量占比已从 2010 年的 20% 提升至 2020 年的 30%。

（5）技术创新　技术创新成为煤化工行业发展的主要驱动力。新型煤化工技术如煤炭直接液化、煤气化等不断取得突破，提高了生产效率和产品附加值。同时，绿色低碳技术如碳捕集与封存（CCS）技术的研究与应用，有助于减少行业碳排放。

（6）市场竞争格局　全球煤化工产业代表性厂商主要可划分为三大梯队。第一梯队是以空气化工、利安德巴赛尔等欧美企业为代表的知名煤化工技术供应厂商，以及中国神华、陕煤化工等在产能及技术上均全球领先的中国本土煤化工巨头；第二梯队厂商有较为领先的经营规模，但技术上稍逊一筹，如兖矿能源、中煤能源、印度海玛德里化学工业有限公司等；第三梯队在生产规模上有一定地位，但相比第二梯队还有扩张空间，包括淮北矿业、宝丰能源等。

3.2　我国煤化工产业现状

（1）产业规模　我国是全球最大的煤化工生产国。2024 年，中国煤化工产业营业收入回落至 1.1 万亿元以上，焦炭产量为 4.89 亿吨，同比下滑 0.8%；2023 年合成氨产量为 5806.02 万吨，煤制烯烃总产能达到 1725 万吨 / 年，行业总产量为 1872 万吨。根据相关规划，到“十四五”末，我国有望建成煤制气产能 150 亿立方米，煤制油产能 1200 万吨，煤制烯烃产能 1500 万吨，煤制乙二醇产能 800 万吨等。在政策有序指导等背景下，2030 年我国煤化工行业市场规模将回升至接近 1.4 万亿元。

（2）技术水平　我国已掌握了具有自主知识产权的煤直接液化、煤间接液化、甲醇制烯烃、煤（合成气）制乙二醇、甲醇制芳烃、煤油共炼技术，关键技术水平已居世界领先地位；煤制油、煤制天然气、煤制烯烃、煤（合成气）制乙二醇基本实现产业化，煤制芳烃工业试验取得进展。

（3）区域分布　我国煤化工行业上市公司主要分布于华北及华东地区，其中山西省最为集中，拥有如山西焦煤、华阳股份和山煤国际等煤炭行业龙头企业。

（4）企业竞争格局　中国神华和陕西煤业在营业收入、利润总额、资产总额和煤化工产品产能产量方面占据绝对优势，共同组成头部梯队；兖矿能源、中煤能源等企业营业收入规模均在1000亿元以上，构成第一竞争梯队；淮北矿业、广汇能源、宝丰能源等营业收入规模在1000亿元以下的企业领衔第二竞争梯队。

（5）发展趋势　①政策引导产业向绿色低碳发展，对于能效低于基准水平的存量项目，需在2025年底前将能效水平改造提升至基准水平以上，否则予以淘汰；拟建、在建增量项目，需积极采用绿色低碳技术装备，协同可再生能源等融合发展。②产业集聚化、园区化发展，新建项目要向资源、环境、安全承载力较好的地区集中，形成产业集聚，大气污染防治重点区域严禁新增现代煤化工等产能。③产品高端化、差异化，新建项目要重点发展新型合成材料、先进碳材料、可降解材料，加快开发绿色化工产品。

煤炭作为仅次于原油的第二大重要能源，2022年煤炭占全球一次能源消费的26.7%左右，较上年的26.9%略有下降。在我国已探明的能源分布中煤炭占94.3%，而石油天然气仅占5.7%，“富煤、贫油、少气”是我国基本国情。据我国统计年鉴数据，2022年我国非化石能源占一次能源消费比重达20.4%，如表3-1所示。《2030年前碳达峰行动方案》指出，到2030年，非化石能源消费比重达到25%左右。从长期来看，化石能源在未来一段时期内仍为我国主体能源。

表3-1　2010 ~ 2022年我国一次能源生产总量及构成

年份	一次能源 /（万吨标准煤）	比重 /%			
		原煤	原油	天然气	一次电力及其他能源
2010	312125	76.2	9.3	4.1	10.4
2011	340178	77.8	8.5	4.1	9.6
2012	351041	76.2	8.5	4.1	11.2
2013	358784	75.4	8.4	4.4	11.8
2014	362212	73.5	8.3	4.7	13.5
2015	362193	72.2	8.5	4.8	14.5
2016	345954	69.8	8.3	5.2	16.7

续表

年份	一次能源 /（万吨标准煤）	比重 /%			
		原煤	原油	天然气	一次电力及其他能源
2017	358867	69.6	7.6	5.4	17.4
2018	378859	69.2	7.2	5.4	18.2
2019	397317	68.5	6.9	5.6	19.0
2020	407295	67.5	6.8	6.0	19.7
2021	427115	66.7	6.7	6.0	20.6
2022	466000	67.4	6.3	5.9	20.4

近年来，中国现代煤化工产业发展十分迅速，主要产品产能、产量保持在世界第一。图 3-2 数据显示，2023 年我国煤（甲醇）制烯烃产能为 1865 万吨，较 2019 年增长了 17.90%；煤制气产能为 67.1 亿立方米，较 2019 年增长了 33.30%；煤制乙二醇产能为 1118 万吨，较 2019 年翻了一倍多，增长了 131.50%；煤制油产能 1138 万吨，较 2019 年增长了 23.56%。

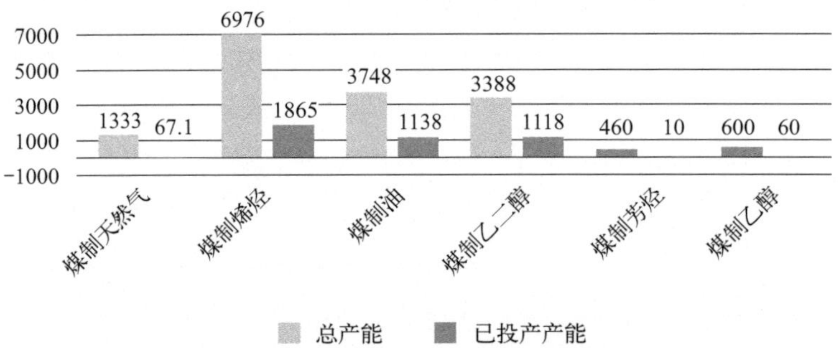

图 3-2　2023 年我国煤化工主要行业产能情况（单位：万吨）

按照《关于推动现代煤化工产业健康发展的通知》，下一步现代煤化工产业创新将聚焦以下方面发力。

（1）前沿技术攻坚与突破　积极鼓励新建项目主动承担技术创新示范升级重任，全力开展重大技术装备攻关工程。一方面，深入推进高性能复合新型催化剂研发，致力于提升催化效率与稳定性，降低生产成本；探索合成气一步法制烯烃、一步法制低碳醇醚等前沿技术创新，力求缩短工艺流程，提高原子经济性。

另一方面，全力推动煤制对二甲苯（PX）实现产业化突破，攻克技术难题，打破国外技术垄断，增强我国在芳烃领域的自主供应能力。

（2）关键技术装备产业化　聚焦大型高效煤气化技术装备，提升煤气化效率与煤种适应性，降低能耗与减少污染物排放；围绕新一代高效甲醇制烯烃技术装备及关键原材料、零部件，加快实现国产化替代，保障产业链供应链安全稳定。同时，大力推动关键技术首批（次）材料、首台（套）装备、首版（次）软件产业化应用，通过政策支持与市场引导，鼓励企业率先使用，积累实践经验，促进技术装备的迭代升级。

（3）产品结构优化升级　加快煤基新型合成材料、先进碳材料、可降解材料等高端化工品生产技术开发应用。开发具有高附加值、高性能的煤基合成材料，满足航空航天、电子信息等高端领域需求；推进先进碳材料制备技术创新，提升产品质量与性能；加大可降解材料研发力度，助力解决白色污染问题，推动化工产品向绿色、高端、差异化方向发展。

（4）绿色化学与替代技术研发　强化有毒有害化学物质绿色替代品和无毒无害、低毒低害绿色化学物质和产品研发。筛选和开发环境友好型化学物质，逐步替代现有高毒、高污染的化学品，从源头减少污染风险，推动现代煤化工产业绿色可持续发展。

（5）产业耦合创新发展　在资源禀赋和产业基础较好的地区，积极推动现代煤化工与可再生能源、绿氢、CCUS 等耦合创新发展。利用可再生能源发电进行电解水制绿氢，将绿氢引入煤化工生产过程，减少碳排放；开展 CCUS 技术应用，实现二氧化碳的资源化利用，减少温室气体排放，构建多能互补、协同发展的产业新模式。

（6）数字化与智能化转型　大力推动现代煤化工装备数字化建设，鼓励现代煤化工企业、装备企业、服务商组建联合体，研究开发现代煤化工智能装备与场景融合技术。通过智能化手段实现生产过程的精准控制、故障预警与智能运维，培育一批智慧生产典型场景，提升产业生产效率、降低运营成本，增强产业竞争力。

3.3　河南煤化工产业发展现状

河南省煤化工产业起步较早，经长期发展已成为地方经济重要支柱，在全国煤化工产业格局中占据重要地位。目前，河南省煤化工项目涵盖煤气化、煤制甲醇、煤制乙二醇、煤制烯烃等多个领域。早在20世纪末，河南煤化工产业尚处于发展初期，产品结构单一，以初级产品甲醇为主，且多定位低端市场，产业附加值较低。步入21世纪，伴随技术持续进步与产业政策引导扶持，河南煤化工产业迎来快速发展与转型期。一系列以煤和甲醇为原料的高附加值产品，如乙二醇、烯烃、1,4-丁二醇、二甲醚、醋酸、聚甲醛等相继投入生产，逐步构建起现代煤化工产业雏形。

（1）产业发展　在产业发展进程中，河南省培育出一批颇具影响力的大型煤化工企业集团。河南能源集团作为世界500强企业，实力强劲。2023年实现营业收入1129.33亿元，展现出强大的市场竞争力与行业引领力。该集团产业布局广泛，覆盖能源、化工新材料、现代物贸、金融服务、智能制造等板块，业务范围不仅遍布河南14个省辖市，还延伸至新疆、贵州、内蒙古、陕西、青海等省（区）以及澳大利亚等国内外地区。在煤气化技术领域，河南能源集团通过持续研发投入，提升煤气化效率，降低能耗与污染物排放，为企业可持续发展筑牢技术根基。

中国平煤神马能源化工集团有限责任公司前身为平顶山矿务局，成立于1955年，是以能源化工为主导的国有特大型企业集团。集团产业多元，包含煤焦产业、尼龙化工产业、新能源新材料、装备制造、建工建材等。产品畅销30多个国家和地区，与40多家世界500强企业及跨国集团建立战略合作关系，在国内炼焦煤和电煤生产领域，是品种最全的生产基地，在尼龙化工生产方面，更是全国规模最大的基地。在煤化工技术创新方面，平煤神马集团依托两个博士后工作站、两个技术中心，与国内10余家一流高校和科研院所深度合作，攻克众多技术难题。如在尼龙化工生产技术上不断优化，提升产品质量与生产效率，增强产品在国际市场的竞争力。

河南中源化学控股有限公司专注于天然碱勘探开发、生产与销售，在行业内独具特色。其前身为1998年8月成立的桐柏安棚碱矿有限责任公司，2008年12月经股份制改造整体变更为股份有限公司，2014年8月资产重组实现资产上市。公司构建了以天然碱化工为主导，煤化工、农副产品开发为一体的多元化产业集群，拥有省级企业技术中心和工程技术研究中心以及博士后研发基地，在天然碱相关产品生产技术上不断创新，推动企业高效发展。

（2）技术成果　在技术成果方面，河南省以煤气化为核心的煤化工技术研发收获颇丰。煤制甲醇蛋白技术取得新突破，通过工艺优化，提高了甲醇蛋白的产量与质量，拓展了煤化工产品的应用领域，为饲料等行业提供了优质原料。改良二氧化碳汽提尿素技术在提高尿素生产效率的同时，降低了能源消耗与二氧化碳排放，增强了企业在尿素生产领域的竞争力。在配套设备研发上，新型煤气化炉研制成功，提高了煤炭气化效率，可适应多种煤种，为煤化工产业高效运行提供了设备保障。

河南省煤化工产业发展态势良好，在规模、企业、技术等方面均有出色表现，但同时也面临着产业结构需进一步优化、部分技术与先进水平仍有差距等挑战。未来，随着相关政策的推动以及企业自身的努力，河南省煤化工产业有望向高端化、绿色化、智能化方向持续迈进，在全国乃至全球煤化工产业竞争格局中占据更有利地位，为地方经济发展注入更强劲动力。

（3）产业规模　从产业规模来看，河南省 2017 年合成氨产量居全国第二位，甲醇产量居全国第五位，是传统煤化工产业大省。尽管近年来面临转型调整，产业规模有所控制，但依然具备相当的基础与规模。2024 年，河南省煤矿共生产原煤 9116.29 万吨，虽同比减少 1228.28 万吨，下降 11.9%，但煤炭资源为煤化工产业提供了原料支撑。通过实施重大项目，培育了中原大化、永煤集团、安化集团等一批优势企业，产业发展呈现向大企业集团集中的态势。

（4）产业结构　在产业结构调整上，依据 2022 年 7 月河南省工业和信息化厅等五部门印发的《关于“十四五”推动河南省化工行业高质量发展的指导意见》，河南省大力推动传统煤化工转型升级，加速煤基化学品向精细化学品和化工新材料延伸，促进现代煤化工产业朝高端化、多元化、低碳化方向发展。着力构建现代煤化工产业链，围绕焦炉煤气综合利用、煤焦油深度加工等路径，拓展延伸焦化产业链条；围绕煤气化高端拓展，加强向高效肥料、功能性材料和可降解材料发展力度。重点以安阳、新乡、驻马店、济源为主，打造“双头多尾”“煤焦化”“煤气化”齐头并进、以煤基精细化工产品和煤基化工新材料为主导多元发展的国内一流现代煤化工基地。

（5）技术水平　在技术水平层面，随着产业发展，河南省煤化工企业持续加大在技术改造和创新方面的投入，部分企业采用了先进适用的清洁生产工艺，推动技术升级与绿色化改造。然而与国内先进水平相比，在一些高端技术和关键装备方面，河南省仍存在一定差距，后续需进一步强化技术研发与创新能力，提升产业的技术水平与竞争力。

（6）政策环境　政策环境对河南省煤化工产业发展影响深远。2024 年 7 月，河南省发展和改革委员会印发《河南省承接化工产业转移“禁限控”目录》，禁止承接不符合国家石化、现代煤化工等产业布局规划的项目；禁止大气污染防治重点区域承接煤化工产能。此外，河南省还出台了一系列相关政策，推动煤化工产业向高端化、多元化、低碳化发展，引导产业集聚，加强环境保护和安全监管，促进产业的可持续发展。例如，通过设立省制造业高质量发展专项资金，支持装备制造业和新材料等相关企业实施技术改造、智能化改造、创新中心建设等，鼓励符合条件的传统煤化工转型企业、项目申报该资金；完善煤炭指标市场化交易政策以及用能权有偿使用和交易制度，统筹保障好煤化工行业原料用能用煤需求，推动煤化工行业高质量发展。

总体来看，河南省煤化工产业发展态势良好，但也面临产业结构需进一步优化、部分技术与先进水平仍有差距等挑战。未来，在相关政策推动以及企业自身努力下，有望向高端化、绿色化、智能化方向持续迈进，在全国乃至全球煤化工产业竞争格局中占据更有利地位，为地方经济发展注入更强劲的动力。

3.4　河南煤化工产业发展问题剖析

河南省煤化工产业虽已具备一定规模和基础，但在发展进程中仍面临诸多挑战，以下从多个维度对现存问题进行剖析。

3.4.1　产业结构深度调整压力大

（1）产品附加值较低　目前，河南省煤化工产品仍以初级产品为主，如焦炭、合成氨、甲醇等传统产品在产业中占比超 60%。这些产品同质化严重，市场竞争激烈，利润空间被严重压缩。以焦炭为例，2023 年河南省焦炭产量虽位居全国前列，但行业平均利润率不足 5%。而高端产品如煤基特种纤维、煤基工程塑料等生产规模较小，技术研发和产业化进程缓慢，产品附加值难以提升，导致产业整体竞争力不足。

（2）产业链延伸不足　从产业链条来看，河南省煤化工产业上下游衔接不够紧密，中间产品未能得到充分利用。以煤焦油加工为例，省内大部分企业仅能生产沥青、燃料油等初级产品，对煤焦油中含量较高的萘、蒽、酚等精细化工原料提取技术不足，未能形成完整的深加工产业链。同时，企业间协同发展机制不完善，缺乏产业集群效应，难以实现资源共享和优势互补，限制了产业整体规模效益的发挥。

3.4.2 技术创新体系待完善

（1）研发投入强度不足　多数企业对技术研发的重视程度不够，导致企业在关键技术研发、工艺改进等方面进展缓慢。由于资金投入不足，部分企业无法购置先进的研发设备和引进高端研发人才，难以开展前沿技术研究，制约了产业技术水平的提升。

（2）产学研协同不畅　虽然省内有部分煤化工企业与高校、科研院所建立了合作关系，但合作模式多以短期项目合作为主，缺乏长期稳定的产学研协同创新机制。企业提出的技术需求与科研机构的研发方向存在脱节现象，导致科研成果转化率较低。例如，部分高校和科研院所研发的先进煤化工技术，因未能充分考虑企业实际生产需求和工艺条件，难以在企业中实现产业化应用，造成科研资源的浪费。

（3）高端技术依赖进口　在煤气化、煤制烯烃等关键技术领域，河南省部分企业仍依赖国外技术和装备。以大型煤气化炉为例，国内市场上先进的多喷嘴对置式水煤浆气化技术、粉煤气化技术等核心专利和设备多被国外企业垄断，企业引进技术和设备需支付高额费用，增加了生产成本。同时，由于缺乏自主知识产权的核心技术，企业在技术升级和改造过程中受到国外技术供应商的制约，难以根据自身需求进行灵活调整和创新。

3.4.3 资源环境约束趋紧

（1）水资源短缺矛盾突出　煤化工产业是高耗水行业，每生产1t煤制油约需消耗10～15t水，1t煤制甲醇约需消耗6～8t水。河南省水资源总量相对匮乏，人均水资源占有量仅为全国平均水平的1/5，且水资源时空分布不均。在豫北、豫东等煤化工产业集中区域，水资源供需矛盾尤为突出。部分企业为满足生产用水需求，过度开采地下水，导致地下水位下降、地面沉降等环境问题，同时也面临水资源短缺对企业生产规模扩张的限制。

（2）污染物排放压力大　煤化工生产过程中会产生大量的废水、废气和废渣。废水中含有酚、氰化物、氨氮等有毒有害物质，处理难度大；废气中二氧化硫、氮氧化物、粉尘等污染物排放量大；废渣主要为气化炉渣、煤矸石等，堆存占用大量土地，且存在环境污染风险。尽管近年来企业加大了环保投入，但部分企业仍存在环保设施运行不稳定、污染物排放不达标等问题。随着国家和地方环保标准的不断提高，企业在环保治理方面面临的压力越来越大，环保成本不断增加，给企业生产经营带来较大负担。

3.4.4 市场竞争形势严峻

（1）国内产能过剩压力　近年来，国内煤化工产业投资热度持续，产能快速扩张。据统计，2023 年我国煤（甲醇）制烯烃产能为 1865 万吨，煤制乙二醇产能为 1118 万吨，部分产品市场供大于求的局面日益严重。河南省煤化工企业在规模、技术、成本等方面与国内大型煤化工基地相比不具明显优势，面临着巨大的市场竞争压力。例如，在甲醇市场，由于国内甲醇产能过剩，价格长期低迷，河南省甲醇企业开工率不足，经济效益下滑。

（2）国际市场冲击　国际油价波动对煤化工产业影响显著。当国际油价处于低位时，以石油为原料的化工产品成本大幅降低，在价格上对于煤化工产品形成明显竞争优势。同时，国外先进的煤化工企业凭借技术和规模优势，在高端煤化工产品市场占据主导地位，河南省煤化工企业在国际市场上缺乏竞争力，难以拓展海外市场。此外，国际贸易摩擦和贸易保护主义的抬头，也增加了河南省煤化工产品出口的难度。

3.4.5 产业布局合理性不足

（1）区域分布分散　目前，河南省煤化工企业分布较为分散，除安阳、新乡、驻马店、济源等重点区域外，在其他多个地区也有零星分布。这种分散的布局导致企业难以共享基础设施和公共服务，增加了企业的运营成本。同时，企业间距离较远，物流运输成本高，不利于企业间的技术交流和产业协同发展，难以形成产业集群效应，降低了产业整体竞争力。

（2）基础设施配套不完善　部分煤化工产业园区基础设施建设滞后，在供水、供电、供气、污水处理、危废处置等方面存在不足。一些园区的污水处理能力无法满足企业生产废水处理需求，导致企业废水处理不达标排放；部分园区的供气管道铺设不完善，影响企业生产的稳定性。此外，园区周边的交通、通信等基础设施也有待加强，制约了企业的原材料运输和产品销售，影响了产业的发展效率。

3.4.6 人才短缺问题凸显

（1）高端人才匮乏　煤化工产业技术复杂，涉及化学工程、能源转化、环境工程等多个学科领域，需要大量的高端专业技术人才和管理人才。然而，河南省在煤化工领域的高端人才相对匮乏，特别是具有国际视野、掌握前沿技术的领军人才和创新团队较少。由于缺乏高端人才，企业在技术研发、工艺优化、项目管理等方面面临较大困难，难以开展高水平的技术创新活动，影响了产业的创新发展能力。

（2）人才培养机制不完善　省内高校和职业院校开设的煤化工相关专业较少，且专业设置与企业实际需求存在一定脱节。部分院校的教学设备陈旧，实践教学环节不足，培养的学生难以满足企业对实用型人才的需求。同时，企业自身的人才培养体系也不够完善，缺乏对员工的系统培训和职业发展规划，导致员工技能提升缓慢，人才流失现象较为严重，进一步加剧了人才短缺问题。

3.5 煤化工产业绿色发展建议

为实现煤化工产业低碳、高效、健康、可持续发展，制定煤化工产业绿色发展战略时需要综合考虑政策法规、资源与能源、技术创新、市场需求等多方面因素。

3.5.1 强化低碳技术创新，奠定绿色发展基础

（1）核心工艺升级　推进先进煤气化技术应用，提升煤炭转化效率至98%以上，降低单位产品煤耗与污染物排放。研发新型合成气净化技术，减少硫化物、氮化物等杂质含量，提高合成气品质，为后续化工生产提供优质原料。

（2）碳捕集与资源化技术突破　加大二氧化碳捕集技术研发力度，开发高效、低成本的捕集材料与工艺，提升二氧化碳捕集率。积极探索二氧化碳制甲醇、合成尿素、制备可降解塑料等资源化利用路径，实现二氧化碳的高值化利用。

3.5.2 优化产业结构，推动高端绿色转型

（1）产业链延伸　针对煤化工产品低端化、单一化的现状，充分发挥产业

基础优势，以技术创新驱动产业链向中下游高附加值领域延伸。重点聚焦煤基特种纤维、工程塑料、电子化学品等高端化工材料的研发与生产，满足航空航天、电子信息、新能源汽车等新兴产业对高性能材料的需求。强化产业协同发展，构建“煤炭气化—合成气净化—精细化工产品生产”一体化产业链。通过研发煤制油、煤制化学品联产耦合工艺及产品联合加工技术，实现产品多元化，提升煤炭资源的综合利用效率和附加值。同时，推进加工原料多元化进程，开展石脑油和甲醇共裂解技术攻关，优化反应热平衡，在生产烯烃的同时联产对二甲苯（PX），增强产品市场竞争力，加速传统煤化工向现代煤化工转型升级。

（2）产业耦合发展　积极探索煤化工与可再生能源、石油化工、生物化工等产业的深度耦合发展模式。在能源领域，利用风电、光伏等可再生能源电解水制氢，替代部分传统煤制氢工艺，减少煤化工生产过程中的碳排放，实现能源结构的绿色化转型。

在产业协同方面，加强煤化工与石油化工的原料互供、技术互补。例如，通过原料结构优化和工艺整合，实现资源的高效利用，降低生产能耗和成本。此外，探索煤化工与天然气化工、生物化工、冶金建材等产业的耦合技术，构建多产业协同的能效物耗优化解决方案，形成资源共享、优势互补的循环经济产业体系，推动煤化工产业高端化、绿色化发展。

3.5.3　深化二氧化碳综合利用，构建循环经济体系

（1）规模化应用推广　建设二氧化碳综合利用示范项目，发展二氧化碳驱油、地质封存、食品级二氧化碳生产等产业。建立二氧化碳利用产业联盟，整合产业链上下游资源，推动二氧化碳的规模化应用。

（2）完善产业链体系　发展二氧化碳捕集、运输、储存装备制造产业，提升相关装备的国产化水平与技术性能。构建二氧化碳全产业链服务体系，实现二氧化碳从捕集、利用到封存的全流程管理。

3.5.4　严格生态环境管控，筑牢绿色安全防线

（1）环境准入与监管　制定严格的煤化工项目环境准入标准，在生态敏感区域限制高污染、高能耗项目建设。加强环境监测与执法力度，利用物联网、大数

据等技术，实现对企业污染物排放的实时监控与精准治理。

（2）本质安全提升　强化企业安全生产管理，完善安全风险分级管控与隐患排查治理双重预防机制。推进智能化安全监控系统建设，对重大危险源进行24小时监测预警，提升企业本质安全水平。

3.5.5　完善管理与标准体系，强化政策保障

（1）创新管理模式　引入先进的管理理念与方法，推进企业数字化、智能化转型。建立全员参与的绿色管理机制，激发员工创新活力，提升企业绿色管理水平。

（2）建设标准体系　制定煤化工行业绿色生产、能效、水效等标准，建立健全绿色评价体系。推动企业参与国际标准制定，提升我国煤化工产业在国际上的话语权。

（3）政策支持与资金保障　出台税收优惠、财政补贴等政策，支持煤化工企业开展绿色技术研发与项目建设。引导金融机构加大对绿色煤化工项目的信贷支持，拓宽企业融资渠道。

参考文献

[1] 孙双印 . 煤化工行业发展趋势及问题分析 [J]. 河南化工 , 2016, 33(4): 11-13.

[2] 陈垒 , 赵龙涛 , 李延勋 , 等 . 河南煤化工发展现状及其问题探讨 [J]. 河南化工 , 2015, 32(5): 7-14.

[3] 亢旭阳 . 推动河南煤化工产业转型发展的几点思考 [J]. 中外企业家 , 2016(17): 29+36.

[4] 王强 , 徐向阳 . “双碳” 背景下现代煤化工发展路径研究 [J]. 现代化工 , 2021, 41(11): 1-3+8.

[5] 王月平 . 煤化工工艺中二氧化碳排放与减排分析 [J]. 化工管理 , 2021(5): 41-42.

[6] 邵桂兰 , 王金 , 李晨 . 基于 2030 年碳减排目标的中国省际碳排放配额研究 [J]. 山东财经大学学报 , 2021, 33(4): 13-23.

[7] 李永辉 , 王文龙 , 米凯 . 煤化工废水处理技术面临的问题与技术优化研究 [J]. 化工设计通讯 , 2020, 46(9): 9+71.

[8] 齐燕凤 . 类芬顿法及厌氧消化法降解煤化工废水中酚类污染物的研究 [D]. 青岛 : 青岛科技大学 , 2021.

[9] 张晔 . 煤化工废水中的油类去除方法与效果研究 [D]. 西安 : 西安建筑科技大学 , 2021.

[10] 纪振宇 . 基于生命周期评价的煤化工废水处理全过程节能减排研究 [D]. 北京 : 北京交通大学 , 2021.

[11] 张巍 , 张帆 , 张军 , 等 . 与新能源耦合发展推动现代煤化工绿色低碳转型的思考与建议 [J]. 中国煤炭 , 2021, 47(11): 56-60.

[12] 刘殿栋 , 王钰 . 现代煤化工产业碳减排、碳中和方案探讨 [J]. 煤炭加工与综合利用 , 2021(5): 67-72.

[13] 赵阳 , 张宁 , 刘金存 , 等 . 煤化工与新能源耦合绿色低碳发展路径研究 [J]. 煤炭经济研究 , 2024, 44 (12): 106-113.

[14] 王卉尧 . “双碳” 目标下宁夏煤化工产业节能减排政策执行问题研究 [D]. 银川 : 宁夏大学 , 2023.

[15] 李玲 , 杨晓冉 . 现代煤化工绿色发展路径明晰 [N]. 中国能源报 , 2023-08-07 (002).

[16] 刘天一 , 谢文文 , 张永忠 . 坚定践行习近平总书记三化发展重要嘱托 引领保障现代煤化工产业高质量发展 [J]. 现代国企研究 , 2023(7): 14-19.

[17] 陈鲁园 , 李健 , 闫龙 , 等 . “碳达峰、碳中和” 目标下榆林煤化工产业高质量发展路径 [J]. 化学工程与装备 , 2023 (5): 211-212+208.

[18] 宋世杰 , 杨岚 . “双碳” 背景下煤化工产业绿色低碳发展路径探讨 [J]. 新西部 , 2022 (12): 23-27.

[19] 夏婷婷，南海明，高岷，等．新能源耦合煤化工及综合性能源走廊探索——产业兴疆路径研究 [J]. 煤化工，2022, 50 (4): 3-9.
[20] 张胜利，焦洪桥，杨靖华，等．碳中和背景下现代煤化工产业生态链布局和创新发展路径 [J]. 中国煤炭，2022, 48 (8): 7-13.
[21] 陈艾，焦洪桥，李瑞龙，等．现代煤化工产业生态化发展技术路径研究 [J]. 中国煤炭，2022, 48 (8): 20-23.
[22] 谢肥东，侯刘涛，陈磊，等．大型煤化工企业“双碳”管理与绿色发展探索实践 [C]// 中国企业改革与发展研究会，中国企业改革 50 人论坛．中国企业改革发展优秀成果 2023(第七届) 下卷．河南龙宇煤化工有限公司，2024: 69-77.

第 4 章

新材料产业绿色发展战略

在全球加速迈向绿色低碳经济的时代背景下，材料科学与工程作为21世纪的核心技术体系，正以前所未有的创新速度重塑全球产业格局。其先导性作用不仅体现在对前沿科技的支撑，更成为各国抢占全球价值链高端、实现可持续发展的战略必争领域。作为国民经济的基础性产业，新材料产业的发展水平不仅直接影响制造业的转型升级，更是推动经济社会高质量发展的关键引擎。在技术迭代与市场需求的双重驱动下，全球新材料领域的竞争态势日趋激烈，其快速发展的进程深刻影响着材料科技演进的方向与节奏。

从学科定义而言，新材料是材料科学与工程领域通过理论创新、技术突破形成的具有特殊性能与特定应用价值的材料体系。这类材料既涵盖传统材料在微观结构、制备工艺层面的绿色化改进，也包含基于新原理、新方法开发的全新材料种类。凭借优异的力学性能（如高强度、高韧性）、物理性能（高导电性、低导热性）及化学性能（强耐腐蚀性、高稳定性），新材料已广泛渗透至航空航天、高端装备制造、电子信息、生物医药、绿色建筑等关键领域，成为现代工业体系创新发展的核心物质基础。

新材料科技的蓬勃发展，正驱动着产业结构的深度优化与绿色转型。在传统制造业升级方面，超级钢通过微观组织调控实现强度与韧性的协同提升，电解铝行业依托熔盐电解技术革新降低能耗，低环境负荷型水泥借助工业固废资源化利用减少碳排放，全氟离子膜与聚烯烃催化剂的技术突破则推动化工流程效率升级，这些关键技术的突破显著促进了钢铁、有色金属、建材、石化等传统产业的绿色化转型。在战略性新兴产业培育上，新型能源材料与先进电子材料的技术创新，为半导体芯片、新能源汽车、太阳能光伏等产业提供了核心支撑，加速其实现跨越式发展。此外，新材料在国家重大工程建设中发挥着不可替代的战略作用，高性能钢材料、轻合金材料、工程塑料等产品的持续优化，有力保障了高速铁路、载人航天、海洋工程、能源装备等领域的建设需求，推动中国高端装备“走出去”战略的实施；第三代铝锂合金在国产大飞机上的成功应用，更是新材料技术创新的典型范例。

无论是大国重器的研发制造，还是国防军工的技术攻坚，抑或是民众衣食住行的品质提升，新材料创新均为其核心驱动力。在国家战略层面，我国已构建起“顶层规划—专项政策—实施细则”的全链条政策体系，通过制定一系列纲领性文件与指导性规划，为新材料产业发展搭建起坚实的政策框架。“十四五”规划明确将新材料创新发展工程列为重点任务，聚焦重点应用领域开展关键技术攻关。在此政策驱动下，我国新材料产业正朝着“高精尖”方向加速迈进。

河南作为我国重要的化学化工制造业基地，在新材料产业发展上已具备一定基础与优势。河南拥有丰富的矿产资源与完善的化工产业链，在高性能纤维、新型功能材料等领域已形成特色产业集群。然而，面对全球新材料产业绿色化、智能化的发展趋势，以及国内区域竞争的加剧，河南化学化工制造业亟需通过新材料产业的绿色创新发展突破传统产业发展瓶颈，实现产业结构的优化升级与可持续发展。本章将围绕河南新材料产业绿色发展战略展开深入研究，剖析现状、挖掘潜力、提出路径，为推动河南化学化工制造业高质量发展提供理论支撑与实践指导。

4.1 我国新材料产业现状

在全球科技竞争与产业变革的浪潮中，新材料产业作为战略性、基础性产业，已然成为衡量国家综合实力与创新能力的关键指标，更是未来高新技术产业发展的基石和先导。其发展水平不仅决定着传统产业转型升级的步伐，更是培育新兴产业、发展新质生产力的重要支撑。近年来，我国新材料产业在政策驱动、市场需求牵引与技术创新推动下，取得了长足进步，产业规模持续扩张，创新能力稳步提升，在全球新材料产业格局中占据了愈发重要的地位。新材料产业链如图 4-1 所示，其涵盖从基础原材料研发、生产加工，到终端应用产品制造的完整体系，

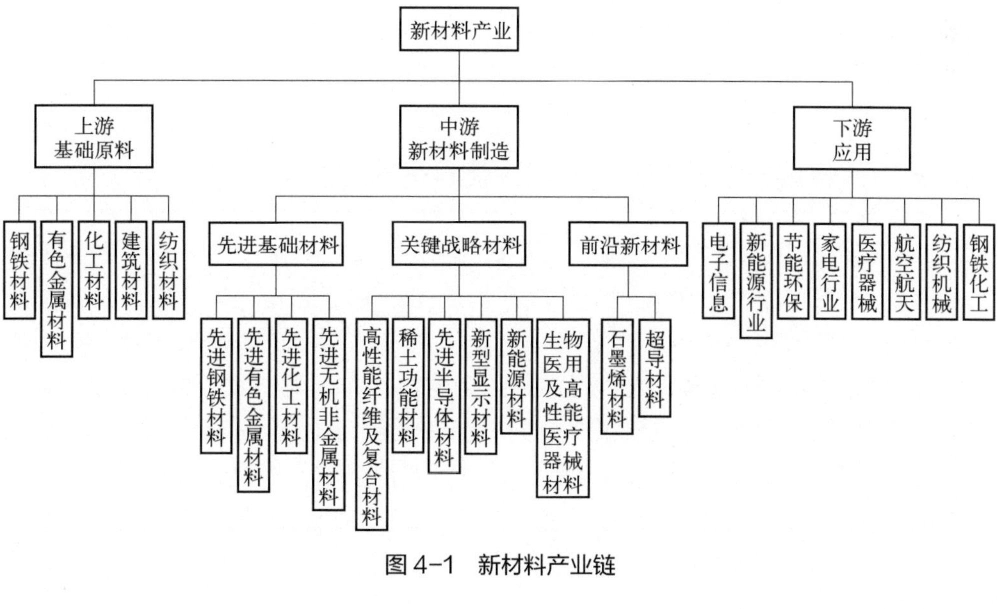

图 4-1 新材料产业链

各环节紧密协同，共同推动产业发展。

4.1.1 政策体系逐步完善，产业发展环境优化

国家对新材料产业发展高度重视，近年来密集出台一系列政策措施，构建起全方位、多层次的政策支持体系。从《中国制造 2025》将新材料列为重点发展领域，到《“十三五”国家战略性新兴产业发展规划》《新材料产业发展指南》明确产业发展目标与重点任务，再到《国家新材料生产应用示范平台建设方案》《“十四五”原材料工业发展规划》《标准提升引领原材料工业优化升级行动方案（2025—2027 年）》等文件的相继发布，为新材料产业发展提供了明确的政策导向与坚实的制度保障。特别是 2024 年 1 月 1 日起实施的《重点新材料首批次应用示范指导目录（2024 年版）》，涵盖 299 种新材料，聚焦国家重大战略需求与项目建设需要，为新材料的推广应用与产业发展指明方向。同期，工业和信息化部等七部门联合印发的《关于推动未来产业创新发展的实施意见》，对先进基础材料升级、关键战略材料发展以及前沿新材料创新应用提出具体要求，进一步明晰了产业重点突破方向。

在国家政策引领下，地方政府积极响应，北京、上海、江苏、广东、山东、浙江、湖南、安徽等地纷纷出台专项发展规划与行动计划，结合区域产业基础与特色，推动新材料产业创新发展、转型升级与集聚发展。从国家到地方的政策协同发力，显著提升了我国新材料产业的创新能力与国际竞争力，为产业持续健康发展营造了良好的政策环境。

4.1.2 产业规模稳步增长，体系优势日益凸显

工业和信息化部原材料工业司发布数据显示，2024 年 1 ～ 11 月，我国新材料产业总产值同比增长 10% 以上，预计全年超过 8 万亿元。长期以来，我国新材料产业保持着每年约 20% 的增速，正处于加速发展的黄金时期，产业规模不断扩大，已形成全球规模最大、门类最齐全的新材料产业体系。截至 2023 年 10 月，我国已在新材料领域建立了 7 个国家制造业创新中心，布局建设了 35 个新材料重点平台，有力推动了一批重大关键材料取得突破；新材料规模以上企业超过 2 万家，其中专精特新“小巨人”企业达 1972 家，制造业单项冠军企业 248 家；成功培育形成了 7 个国家先进制造业集群。涵盖金属、高分子、陶瓷等结构与功

能材料的研发和生产体系全面建成，有色金属、化学纤维、先进储能材料、光伏材料、有机硅、超硬材料、特种不锈钢等百余种新材料产量位居全球前列，展现出强大的产业体系优势。

4.1.3 技术创新成果丰硕，核心技术不断突破

技术创新是新材料产业发展的核心驱动力。近年来，我国在新材料核心技术研发方面取得众多突破性成果。在碳纤维复合材料领域，全球首次将其应用于商业化运营地铁列车关键承载部件，实现车辆主承载结构从金属材料向碳纤维复合材料的重大转变，引领地铁列车轻量化技术新变革；在高温超导材料领域，我国部分技术达到国际领先水平，世界首条 35 千伏公里级超导电缆已连续稳定供电超 1000 天，彰显其在电力传输领域巨大应用潜力；储能材料方面，宁德时代在固态电池技术方面取得重要进展，钠离子电池、锂离子电池等技术不断突破，为新能源产业发展注入新动能。此外，在超硬材料、二维材料、钙钛矿材料等领域，我国同样取得了显著技术突破，部分技术与产品达到国际先进或领先水平，为产业发展筑牢了技术根基。

4.1.4 产业布局日趋合理，集群发展效应显现

我国新材料产业在发展过程中，逐渐形成以环渤海、长三角、珠三角为核心，东北、中西部特色突出的产业集群分布格局。各区域依据自身资源禀赋、产业基础与科技优势，培育发展特色新材料产业。例如，广东发布《广东省发展先进材料战略性支柱产业集群行动计划（2023—2025 年）》，致力于打造世界级先进材料产业集群，推动全省先进材料产业规模与质量双提升；安徽则初步构建以先进制造业产业集群和新兴产业集群（基地）“双轮驱动”的新材料产业集群体系，促进产业协同创新与集聚发展。产业集群的形成可有效整合区域资源，促进产业链上下游协同合作，提升产业整体竞争力与抗风险能力，推动我国新材料产业向更高水平迈进。

4.1.5 企业实力不断增强，国际影响力逐步提升

目前，我国新材料规模以上企业数量超 2 万家，培育出一大批专精特新“小

巨人”企业与制造业单项冠军企业。这些企业凭借技术创新、市场开拓与精细化管理，在国内外市场崭露头角，成为推动产业发展的中坚力量。同时，我国新材料企业积极参与国际竞争与合作，加大国际标准制定和修订参与力度，稳步提升了国际影响力。通过引进国外先进技术与管理经验，消化吸收再创新，我国新材料产业整体水平得到了有效提升，在全球新材料产业分工中逐步向价值链高端攀升。

尽管我国新材料产业取得了显著成就，但与世界先进国家相比，仍存在较大差距。在关键材料研发和创新能力方面，部分核心关键材料受制于人，高端材料对外依存度依然较高，以企业为主体的自主创新体系亟待完善。根据工信部预计，我国新材料行业市场规模将继续保持迅猛扩张的趋势，2025 年全国新材料产业总产值有望达到 10 万亿元的规模。在此背景下，我国新材料产业需进一步强化基础研究投入，完善产学研用协同创新机制，加快人才培养与引进，提升产业核心竞争力，实现从材料大国向材料强国的跨越发展。

4.2 河南新材料产业现状

4.2.1 经济支撑地位凸显，产业规模稳步扩张

河南作为中部经济大省，工业基础雄厚，新材料产业成为经济增长的重要引擎。2022 ~ 2023 年，全省新材料产业工业增加值增速分别达 3.9%、5.1%，2022 年占工业行业增加值比重为 8.6%。2023 年，全省材料行业主营业务收入近 1.8 万亿元，占全省规上工业主营业务收入的 29.7%，彰显新材料产业在河南工业体系中的关键地位。依托省内丰富的矿产资源和完善的传统材料产业配套，新材料产业持续为全省经济增长注入动力。

4.2.2 企业培育体系完善，创新主体活力迸发

河南省高度重视新材料企业培育，形成了多层次、全方位的企业发展支持体系。2023 年，新材料领域省级专精特新中小企业新增 349 家，占全省新增总数的 26%；国家级专精特新“小巨人”企业新增 19 家，占全省新增的 36%；省级制造业头雁企业新增 38 家、重点培育头雁企业新增 52 家，分别占全省新增的

38%、45.22%。从龙头企业到专精特新企业，不同规模、不同发展阶段的企业共同构成了河南新材料产业创新发展的主体，企业梯队的形成促进了技术研发、市场开拓和产业协同，激发了产业创新活力。

4.2.3 产业链建设纵深推进，特色优势持续巩固

基于自身产业基础和资源禀赋，河南省积极推进“7+28+N”重点产业链群布局，其中超硬材料、铝基新材料、化工新材料等 9 条新材料产业链成为重点谋划方向。2024 年，全省“7+28+N”重点产业链群规上工业增加值同比增长 9.5%，对全省规上工业增长的贡献率达 72.4%，先进计算产业链、新能源汽车产业链、尼龙新材料产业链增加值分别同比增长 71.3%、46.1%、29.5%，尼龙新材料等重点产业链带动上下游协同发展效果显著。

在超硬材料领域，河南人造金刚石产量全球第一，从原材料生产到下游制品加工，形成了完整的产业链条；尼龙新材料产业规模全国第一，上下游企业紧密协作，产品涵盖多个应用领域。同时，在氟基新材料、电子特种气体材料、铝基新材料、纳米材料等领域，河南也凭借技术和规模优势，在全国占据重要地位。通过延链补链、建链升链，河南新材料产业不断向价值链高端延伸，产业竞争力持续增强。

4.2.4 产业集群布局优化，区域协同效应增强

河南省立足各地产业特色，构建了差异化、协同化的新材料产业集群。郑州、许昌、南阳、商丘等地形成超硬材料集群，依托技术和市场优势，推动产业集聚发展；洛阳、三门峡、巩义、鹤壁、济源等地的新型有色金属集群，充分发挥资源和加工优势；濮阳、平顶山、洛阳的化工新材料集群，借助当地化工产业基础，实现产业链延伸；郑州、洛阳、三门峡的新型耐火材料集群，凭借技术和品牌优势，巩固市场地位。各集群之间通过资源共享、技术交流和产业协作，形成区域协同发展态势，共同推动全省新材料产业向万亿级规模迈进。

4.2.5 绿色转型政策引领，低碳发展成效初显

在国家“双碳”战略背景下，河南省积极推动新材料产业绿色转型。2024 年

2月，河南省工信厅发布《关于印发全省重点产业链2024年度绿色化升级改造实施指南的通知》，针对“7+28+N”重点产业链群中27个与化工密切相关的重点产业链（包含9条新材料产业链）制定绿色化改造方案。方案明确提出，要发挥链主企业引领作用，鼓励骨干企业输出绿色技术与管理经验，推动全产业链企业提升工艺装备水平、优化能源资源利用效率、推行工业产品绿色设计。目前，已有部分企业通过绿色设计、创建绿色示范企业等方式，在节能减排、资源循环利用等方面取得初步成效，为产业绿色高质量发展奠定基础。

4.3 河南新材料产业发展问题剖析

4.3.1 核心技术自主创新能力不足

尽管河南省新材料产业已具备一定规模，但部分核心技术、加工工艺和生产装备仍依赖外部力量。在高端材料研发领域，如信息新材料、能源新材料、交通新材料、医药新材料等关键方向，与先进地区存在显著差距。以碳纤维领域为例，河南虽起步较早，但目前在高性能碳纤维原丝制备、碳化工艺等核心技术上尚未取得实质性突破，产业发展处于弱势地位。省内高校与科研机构的科研成果转化率较低，产学研合作机制尚不完善，企业与科研单位之间存在信息壁垒，导致科研成果难以快速转化为实际生产力。企业在研发投入上相对不足，使得在半导体级高纯材料、高性能纤维复合材料等高端新材料领域，关键技术对外依存度较高，严重制约了产业向高端化发展。

4.3.2 企业综合竞争力有待提升

省内新材料企业虽数量众多，但多数企业规模偏小，资金实力有限，在技术研发、市场拓展和品牌建设方面存在明显短板。相较于国内先进地区的龙头企业，河南新材料企业在国际市场的知名度较低，缺乏具有全球影响力的品牌。生产装备自动化、智能化、数字化水平亟待加强，多数企业仍沿用传统生产模式，难以适应智能制造发展趋势，在应对市场变化和风险时的能力较弱。部分中小企业还面临着融资难、融资贵的问题，限制了企业引进先进生产装备和进行技术升级的步伐，进一步削弱了企业的综合竞争力。

4.3.3 产业链协同发展水平不高

河南省新材料产业链存在上下游衔接不紧密、协同创新不足的问题。部分产业链环节存在产能过剩，而高端环节供给不足，产业链整体附加值较低。企业之间的合作多停留在简单的供需关系，缺乏深度的技术合作与联合创新。例如，在超硬材料产业链中，原材料生产企业与下游制品加工企业在技术标准、产品规格等方面缺乏统一协调，导致资源配置效率低下，难以形成产业链整体竞争优势。此外，高端材料研发能力不足，使得产业链在信息新材料、能源新材料等新兴领域难以有效延伸，制约了产业的多元化发展。

4.3.4 绿色发展面临多重挑战

在新材料产业绿色转型过程中，河南省面临着技术、资金和人才等多重挑战。部分企业绿色生产技术水平较低，节能减排和资源循环利用技术应用不足，难以满足日益严格的环保要求。绿色转型所需的大量资金投入，使得部分中小企业望而却步。此外，省内缺乏专业的绿色技术研发和管理人才，企业在绿色技术创新、绿色生产管理等方面能力欠缺，制约了产业绿色发展进程。生产装备的落后也导致在绿色生产过程中难以实现精准控制和高效能源利用，进一步阻碍了产业的绿色化升级。

4.3.5 人才短缺与流失问题突出

新材料产业作为技术密集型产业，对高端人才需求迫切。然而，河南省在吸引和留住人才方面面临较大压力。与东部发达地区相比，河南在薪酬待遇、科研环境和发展机会等方面存在差距，导致高端人才外流现象严重。同时，省内高校和职业院校在新材料专业人才培养方面与产业实际需求存在脱节，培养的人才在实践能力和创新能力上难以满足企业需求。尤其在信息新材料、能源新材料等高端领域，既懂核心技术又熟悉生产工艺的复合型人才严重短缺，人才问题成为制约产业突破发展瓶颈的关键因素。

4.4 新材料产业绿色发展建议

4.4.1 强化创新驱动，促进产业链与创新链深度融合

针对核心技术依赖外部、创新能力不足的问题，河南省应着力推动产业链与创新链深度融合。依托郑州大学、河南大学等本地高校，以及科研院所和行业龙头企业，优化创新平台布局，重点建设一批新材料领域的重点实验室、工程技术中心，提升基础研究和应用研发能力。支持郑州大学等高校加设新材料相关专业，调整课程设置，加强产学研合作，强化产业人才培育，为产业发展提供智力支持。

鼓励龙头企业发挥引领作用，牵头组建产业创新联盟，带领中小企业开展协同创新，实现规模以上企业全产业链技术研发的全覆盖。通过建立创新资源共享机制，促进科研成果快速转化为实际生产力，提升产业整体创新水平，推动新材料产业向高端化、绿色化方向发展。例如，在超硬材料产业链中，以龙头企业为核心，联合高校和科研机构，共同攻克高端超硬材料制备的关键技术，降低能耗与污染排放。

4.4.2 完善资金支持体系，围绕核心产业链部署资金链

为解决企业资金短缺、新技术推广困难等问题，河南省应建立新材料产业专项基金。基金围绕超硬材料、尼龙新材料等核心产业链进行重点投资，集中优势资源支持产业链关键环节的技术创新和产业升级。通过对新技术、新工艺、新装备研发项目的资金扶持，加速其落地和推广应用，助力企业突破发展瓶颈。

创新金融服务模式，引导社会资本参与新材料产业发展，为企业提供多元化的融资渠道。针对企业绿色转型需求，开发绿色金融产品，对采用节能环保技术、开展资源循环利用的企业给予低息贷款、贴息等优惠政策，为新材料产业绿色发展提供坚实的资金保障。

4.4.3 聚焦重点领域，推动新材料产业“换道领跑”

依托郑州、洛阳、焦作、濮阳等地的产业基础，明确新材料产业发展方向，推动产业实现“换道领跑”。在现有优势产业基础上，重点发展电子功能材料、

高性能纤维材料、新型动力及储能电池材料、节能降碳环保材料等领域，提升产业竞争力。同时，着力攻关纳米材料、石墨烯特种功能材料、增材制造材料、先进复合材料与先进合金材料等前沿领域，抢占产业发展制高点。

实施企业培育计划，通过政策引导和资源倾斜，打造一批单项冠军、隐形冠军和“独角兽”企业，推动重点领域中小企业“小升规、规改股、股上市”，优化产业结构，提升产业整体实力。鼓励企业加大绿色技术研发投入，开发环境友好型新材料产品，推动产业绿色可持续发展。

4.4.4 加速数字化转型，推动智能制造与绿色生产融合

针对生产装备自动化、智能化、数字化水平低的问题，河南省应大力推动新材料加工制造数字化转型。建立新材料生产应用示范平台及工业互联网平台，加快新材料产业与“5G+ 工业互联网”的深度融合。通过打造先进新材料制造体系的智能装备典型应用场景，实现生产过程的精准控制、能源资源的高效利用和污染物的减排。

推广数字化设计、智能化生产、信息化管理等先进制造模式，推动全省新材料产业向数字化、智能化方向发展。利用大数据、人工智能等技术优化生产流程，降低能耗和生产成本，提升产品质量和生产效率，实现智能制造与绿色生产的有机结合，促进新材料产业绿色升级。

4.4.5 加强人才引育工作，构建绿色人才体系

制定更具吸引力的人才政策，提高高端人才薪酬待遇，完善科研配套设施，为人才提供良好的工作与生活环境，吸引国内外新材料领域高端人才来豫发展。推动省内高校与职业院校优化新材料专业课程设置，加强与企业合作，开展订单式人才培养，提高人才培养与产业需求的契合度。

建立企业、高校、科研机构之间的人才交流机制，鼓励人才在产学研之间流动，促进知识与技术共享。开展绿色技术与管理人才专项培训，提升现有人才队伍的绿色发展意识与专业能力，为新材料产业绿色发展提供坚实的人才支撑。

参考文献

[1] 王中亚 . 河南省新材料产业高质量发展研究 [J]. 合作经济与科技 , 2021(18): 46-47.

[2] 赵鸿滨, 周旗钢, 李志辉, 等. 面向新兴产业和未来产业的新材料发展战略研究 [J]. 中国工程科学, 2024, 26 (1): 23-34.
[3] 张晶. 面向中国式现代化: 新材料产业高质量发展路径研究 [J]. 塑料科技, 2023, 51 (5): 124-127.
[4] 曾卉洁. 李元元院士: 新形势下我国新材料发展的机遇与挑战 [J]. 高科技与产业化, 2021, 27 (11): 14-17.
[5] 新华社. 1 月至 11 月我国新材料产业总产值同比增长 10% 以上 [EB/OL]. (2024-12-17).
[6] 河南省统计局 2024 年全省经济运行情况 [EB/OL]. (2025-01-18).
[7] 陈辉. 九链合力打造新材料强省 [N]. 河南日报, 2023-11-27 (004).
[8] 李耀峰, 赵苗苗, 刘晟源. 推动河南省新材料产业高质量发展对策及建议 [J]. 河南科技, 2023, 42 (15): 137-141.
[9] 河南省人民政府办公厅关于印发河南省加快材料产业优势再造换道领跑行动计划 (2022—2025 年) 的通知 [J]. 河南省人民政府公报, 2022, (17): 31-38.
[10] 河南出台材料产业“换道领跑”方案 [J]. 中国氯碱, 2022, (8): 21.
[11] 尚思宁. 河南省未来产业发展道路优化分析 [J]. 海峡科技与产业, 2024, 37 (8): 6-9.

第 5 章

化工新材料产业发展战略

化工新材料是新材料产业的主要组成部分，具有高技术含量、高附加值、高经济效益的特点，是化学工业中较具活力和发展潜力的新领域，代表着未来化学工业的发展方向。

5.1 全球化工新材料产业现状

5.1.1 产业规模持续扩张

全球化工新材料产业正以高技术创新为核心驱动力，呈现产品迭代周期缩短、产业规模与市场需求双向增长的强劲态势。依据中国石油和化学工业联合会发布的权威统计数据，近年来全球化工新材料产量与市场规模始终保持稳定增长。据中国石油和化学工业联合会统计，2023 年全球化工新材料产量超过 1.1 亿吨，产值约 4700 亿美元，2025 年有望达到 4800 亿美元。北京研精毕智信息咨询公司基于市场需求动态监测与分析明确指出，在下游应用领域不断拓展的推动下，未来 5 年全球化工新材料产量将以 6.1% 的年均复合增长率持续增长，预计 2028 年将突破 1.5 亿吨大关。

从市场规模维度来看，2024 年全球化工新材料产业规模达到 4550 亿美元，预计 2027 年将达到 5500 亿美元。2024 年我国化工新材料产业规模为 1656 亿美元，过去十年增长 3.4 倍，约占全球产值的 36.4%，预计 2027 年将达到 2500 亿美元。随着全球经济复苏进程加快，先进制造业加速向智能化、高端化转型升级，化工新材料作为关键基础材料，其创新需求与实际应用需求将持续释放。以新能源汽车产业为例，轻量化、高安全性的特种工程塑料需求激增，这不仅促使全球化工企业加大研发投入，也吸引了大量金融资本聚焦，进一步推动产业规模扩张。

5.1.2 区域格局西强东弱

当前，全球化工新材料产业形成了以北美、欧洲等西方发达地区为主导的产能与技术格局，这些地区凭借先发优势，构建起完善的产业体系，成为全球化工新材料市场的核心区域。然而，由于不同区域工业化进程与产业政策存在差异，其发展水平呈现出明显的梯度特征。

尽管中国化工新材料产业规模已占据全球36.4%的份额，跃居世界首位，但在高端领域与发达国家仍存在显著差距。以高端聚烯烃为例，北欧化工、利安德巴塞尔等企业掌握茂金属催化剂等核心技术，产品在光学性能、耐环境应力开裂等指标上远超国内同类产品，占据全球高端包装材料市场主导地位；在特种工程塑料领域，美国杜邦、德国巴斯夫凭借长期的专利布局与工艺优化，在航空航天、电子信息等关键应用场景中形成技术壁垒。我国虽在基础化工新材料领域实现规模化生产，但在高性能化、功能化产品研发及生产工艺稳定性方面仍需突破，这也凸显了全球化工新材料产业区域发展不平衡的现状。

5.1.3 头部企业梯队分明

基于全球化工新材料领域企业的营收规模、技术研发能力、市场布局广度与深度等多维度评估，当前行业已形成清晰的梯队竞争格局。

第一梯队企业以美国陶氏化学、德国巴斯夫、美国埃克森美孚、日本三菱化学、韩国LG化学等为代表。这些企业依托全球化研发中心网络、覆盖五大洲的生产基地与销售渠道，构建起强大的市场竞争力。例如，陶氏化学通过持续的并购整合与技术创新，在有机硅、聚氨酯等多个细分领域保持全球领先；巴斯夫凭借"Verbund（一体化基地）"战略，实现从原料到终端产品的全产业链协同，强化成本与技术优势，引领行业技术创新与市场发展方向。

第二梯队企业多为发达国家细分领域的领军者，如德国赢创在特种添加剂、高性能聚合物领域拥有全球顶尖技术；美国3M依托超10万项专利技术，在电子化学品、功能性膜材料等领域占据领先地位；日本三井化学则在聚烯烃催化剂、工程塑料改性技术上优势显著。这些企业在全球化布局过程中，更注重本土市场深耕与优势领域拓展，凭借差异化竞争策略，在细分市场建立起稳固的竞争壁垒，与第一梯队企业共同构筑起全球化工新材料产业的竞争生态。

5.1.4 未来发展趋势明晰

展望未来，全球化工新材料产业将延续高技术驱动、产品迭代加速、产业集中度提升、市场竞争白热化的发展态势。

在市场消费格局方面，北美和欧洲凭借成熟的工业体系与完善的创新生态，仍将是全球化工新材料的重要消费市场。而亚太地区，尤其是中国、印度等新兴经济体，在“双碳”目标与产业升级政策驱动下，新能源、电子信息、高端装备制造等战略性新兴产业蓬勃发展，成为化工新材料需求增长的核心引擎。以中国为例，光伏产业全球市场份额超 70%，对光伏封装胶膜、背板基膜等功能性膜材料需求激增；新能源汽车产销量连续 8 年位居全球第一，带动轻量化材料、电池隔膜材料市场高速增长，推动全球新材料市场重心加速向亚太转移。

根据中国石油和化学工业联合会预测，到 2025 年全球化工新材料市场消费规模有望突破 4800 亿美元。其中，高端聚烯烃在食品包装、医疗器械领域的无菌化、高阻隔化需求持续攀升；特种工程塑料在 5G 通信基站散热、航空发动机耐高温部件等应用场景中需求旺盛；电子化学品随着半导体制造向 7nm、5nm 工艺迈进，对光刻胶、电子特气的纯度与性能要求不断提高；碳纤维在风电叶片大型化、航空航天结构件减重需求推动下，市场规模将持续扩大。这些细分领域的快速发展，将为全球化工新材料产业注入强劲的增长动力。

5.2 我国化工新材料产业现状

5.2.1 产业规模持续扩张，发展水平稳步提升

近年来，在国家产业政策引导与企业技术创新驱动下，我国化工新材料产业规模实现跨越式增长。中国石油和化学工业联合会新材料专委会数据显示，2022 年我国化工新材料产能达 4500 万吨，产量超 3100 万吨，销售收入突破 1.3 万亿元，首次迈过万亿元大关。以高性能纤维为例，2022 年国内碳纤维产能同比增长 30%，芳纶纤维产量提升 25%，充分体现行业强劲的发展势头。伴随产业链上下游协同发展，化工新材料产业在国民经济中的战略地位日益凸显，成为推动制造业高端化、绿色化转型的关键力量。

5.2.2 技术创新成果显著，龙头企业引领发展

我国化工新材料领域技术创新能力持续增强，众多“卡脖子”技术实现突破。高端聚烯烃领域，茂金属聚乙烯、乙烯 - 乙烯醇共聚物（EVOH）等产品成功实现国产化；工程塑料方面，聚苯硫醚（PPS）、聚醚醚酮（PEEK）等材料在航空

航天、电子电器领域的应用不断拓展。行业内形成多元主体协同创新格局：中石油、中石化等传统央企凭借资源与规模优势，主导基础化工新材料研发；万华化学在聚氨酯、二苯基甲烷二异氰酸酯（MDI）技术上达到国际领先水平，引领地方企业创新发展；盛虹石化、东岳集团等民营企业聚焦差异化竞争，在功能性膜材料、含氟材料细分领域实现弯道超车，推动我国化工新材料技术水平向国际前沿迈进。

5.2.3 市场前景广阔，战略布局加速推进

随着国内产业升级步伐加快，汽车轻量化、5G 通信、新能源等新兴领域对化工新材料需求持续井喷。为提升产业竞争力，我国正实施“补短板”战略，重点突破半导体用光刻胶、高性能碳纤维等 30 余种关键材料，优化聚烯烃弹性体、生物基材料等成熟产品体系。以新能源汽车为例，预计 2025 年锂电池隔膜、电解液添加剂等材料需求将增长超 50%，驱动企业加速产能扩张与技术迭代。同时，国家通过专项基金、税收优惠等政策，支持企业打通“关键原料—核心工艺—终端应用”产业链条，推动化工新材料自给率从当前的 65% 向 2025 年 80% 的目标迈进。

5.2.4 产业集中度偏低，规模效应尚未形成

受市场高利润与低准入门槛吸引，我国化工新材料企业数量激增，但“小、散、弱”问题突出。据统计，行业内年产能不足 1 万吨的企业占比超 70%，导致资源分散、技术重复投入。以聚碳酸酯（PC）为例，国内企业平均产能仅为国际龙头企业的 1/5，生产成本高。这种格局加剧了同质化竞争，部分低端产品市场价格战频发，挤压企业利润空间，制约了行业在高端装备、前沿科技领域的配套能力，急需通过并购重组、产能整合实现集约化发展。

5.2.5 梯队竞争格局分明，市场定位差异显著

我国化工新材料行业已形成外资企业、国有企业、民营企业三大竞争梯队。第一梯队以巴斯夫、陶氏化学等外资企业为代表，依托全球研发中心与高端客户资源，占据电子化学品、特种工程塑料等高端市场超 70% 份额；第二梯

队的中石油、中国中化等国有企业，凭借全产业链优势主攻中端市场，但受体制机制限制，在新兴领域的市场响应速度较慢；第三梯队的民营中小企业虽遍布全国，但普遍存在研发投入不足、产品附加值低等问题，主要集中在通用塑料改性、低端橡胶制品等领域，同质化竞争激烈，亟待向专业化、特色化方向转型。

5.2.6　创新体系待完善，结构性矛盾突出

尽管国家在政策与资金层面大力支持化工新材料研发，但行业创新动能仍显不足。中小企业研发投入强度远低于国际平均水平；产学研合作机制不畅，导致部分科研成果转化率不足10%。同时，产业结构性矛盾凸显：高端产品依赖进口，如半导体用光刻胶自给率不足5%；低端产品产能过剩，通用型聚烯烃产能利用率长期低于70%。此外，基础研究薄弱、高端人才短缺等问题，进一步制约了我国化工新材料产业向价值链中高端攀升的速度。

5.3　我国化工新材料产业工作重点

5.3.1　面向国家重大需求，加快关键核心领域技术攻关

以实现基础材料高性能化、关键材料自主可控、前沿材料国际先进为导向，我国化工新材料产业需加速从中低端迈向中高端。通过增强产业升级与国产替代两大核心增长动力，提升产业在全球价值链中的地位。在技术研发过程中，应坚持自主创新与开放合作并行，促进科技成果快速转化，推动新材料从实验室走向市场，实现生产与应用的有效对接。

5.3.2　围绕产业链部署创新链，形成产业链耦合的创新网络

聚焦产业链关键环节，构建与之适配的创新链，培育具有引领作用的链主企业，带动中小企业协同发展，营造富有活力的创新生态。通过建设重大共性技术创新平台与中试平台，促进集群产业内的信息共享与技术交流，形成协同创新网络。鼓励产业研究机构加强基础研究与应用基础研究，打造以企业为主体、需求

为牵引、产学研用深度融合的创新平台，提升原创性化工新材料的开发能力，为产业长远发展奠定坚实基础。

5.3.3 创新发展引领未来技术，关注终端市场需求

着眼未来，提前布局具有战略意义的技术制高点，培育能够引领行业发展的前沿技术。高度重视终端市场需求，加大在终端产品技术研发上的投入，以市场为导向，提供高品质、差异化的产品。化工新材料产业应积极融入国家制造业发展大局，助力实现高水平科技自立自强，推动经济高质量发展，提升人民生活品质。

5.3.4 优化政策与市场环境，支持化工新材料创新

综合运用各类市场政策，适度降低化工新材料市场准入门槛，激发市场活力。深化首批次应用保险补偿机制，进一步消除成果转化应用过程中的障碍，突破产业化瓶颈。完善产业标准体系，发挥标准在规范市场秩序、引领产业发展方向上的重要作用，促进化工新材料产业健康有序发展。

5.3.5 科学统筹资金资源，规划引领化工新材料创新发展

整合科技经费和投资基金，创新政府资金支持方式，搭建化工新材料产业社会融资服务平台，加大对化工新材料重点品种的研发、生产及示范应用项目的支持力度，集中力量突破关键技术，提升化工材料产业共性技术创新能力，推动化工新材料产业在创新驱动下实现高质量、可持续发展。

5.4 我国化工新材料产业绿色发展建议

5.4.1 创新研发模式，提升企业整体技术水平

我国化工新材料企业应通过多维度创新研发模式，提升技术水平以推动绿色发展。其一，持续更新扩展产品线，聚焦高端产品研发生产，满足市场对高性

能、绿色环保新材料的需求；其二，优化生产流程与技术，提升生产效率和产能，降低单位产品能耗与生产成本，实现经济效益与节能环保目标的统一；其三，国有大型化工企业需发挥龙头作用，整合科研资源，构建多层次、系统化的研发体系，加快关键核心技术攻关，带动全行业技术升级；其四，强化产学研深度融合，广泛整合全社会创新资源，拓宽合作广度与深度；其五，明确企业在产学研合作中的主体地位，以市场需求为导向开展研发，通过市场反馈检验研发成果，确保研发方向的精准性与实用性。

5.4.2 深化薪酬改革，激发国有企业活力

为激发国有化工新材料企业活力，需深化激励制度和薪酬体系改革创新，强化经营者与企业利益联结。一方面，合理提升国有化工企业经营者综合收入，确保在养老保险、员工福利及在职待遇等方面与市场水平接轨；另一方面，引入期权和股权奖励制度，对管理层及关键技术骨干实施长效激励，将个人长远利益与企业发展紧密绑定，充分调动核心人才的积极性与创造性，为企业绿色发展注入动力。

5.4.3 落实政策优惠，扶持企业创新发展

各地应依据国家鼓励科技型企业发展政策，推进化工新材料企业科技型认定工作，落实税收优惠政策，切实减轻企业负担。同时，税务部门需在杜绝不合理税费的基础上，加强税收征管与监管，确保税收政策精准落地，营造公平有序的市场环境，引导企业将更多资源投入绿色技术研发与生产工艺改进，助力化工新材料产业绿色转型。

5.4.4 强化行业协会作用，推动产业协同发展

我国化工新材料行业协会应充分发挥纽带与中介职能。通过针对不同产品举办推广活动、实施精准服务，促进产业链上下游信息流通与合作。积极参与化工新材料产品国家标准制定及产业发展规划编制，引领行业规范发展；组织关联企业开展重大技术联合攻关，突破行业共性技术难题，推动产业协同创新，为化工新材料产业绿色发展提供支撑。

5.4.5　加强国际合作，利用全球资源发展

随着我国新材料市场发展的成熟，化工新材料产业面临更多国际机遇与挑战，需积极融入国际市场，善用“两个市场、两种资源”。一方面，要积极地接纳国外的先进企业，欢迎国外先进企业投资合作，引进先进技术与管理经验；另一方面，要鼓励国内企业主动开展国际合作，在合作中获取技术溢出效应，吸收国际前沿绿色发展理念与技术，提升自身创新能力与国际竞争力，实现化工新材料产业的可持续健康发展。

5.4.6　培育产业集群，增强市场竞争实力

尽管我国化工新材料企业发展迅速，但缺乏具有国际竞争力的大型企业集团。培育大型企业集团、构建化工新材料产业集群，是维护国家经济安全、提升产业国际竞争力的关键举措。产业集群可形成规模效应与协同效应，降低运输成本，提高资源利用效率，促进企业间供应链互补匹配，增强产业整体抗风险能力与市场竞争力，为实现“双碳”目标提供有力支撑，推动化工新材料产业绿色高质量发展。

5.5　河南化工新材料产业现状

河南省作为全国重要的煤化工、石油化工、生物基材料、盐碱化工基地，以基础化工产物及产生的化合物、添加剂等为基础发展的化工新材料产业有着独特优势。

5.5.1　产业发展现状

（1）产值规模　2023 年，河南省化工材料产业展现出强劲的发展势头，实现产值约 3471.6 亿元。其中，化工原材料产业实现产值 632.7 亿元，而化工新材料产业表现更为突出，产值达 2838.9 亿元，尼龙新材料作为化工新材料产业的重要分支，产值突破 1000 亿元大关。化工材料产值在整个化工产业产值中的占比约为 60%，凸显了其在河南化工产业体系中的关键地位与主导作用，成为推动

产业升级和经济增长的重要力量。

（2）产品优势　河南省化工新材料产品在多个细分领域优势显著。尼龙新材料领域，2023 年各类尼龙新材料产品产能达 300 万吨，产业规模同步突破 1000 亿元。平煤神马尼龙 66 工业丝（13.6 万吨）、帘子布（7.4 万吨）产能世界第一；尼龙 66 盐（35 万吨）、尼龙 66 切片（24 万吨）产能位居亚洲第一；己二酸规模（86 万吨）居全国首位。

先进高分子材料产业中，河南能源是中部地区最大的聚甲醛（10 万吨）生产基地；河南银金达集团功能型聚酯（PETG，10 万吨）市场占有率稳居国内第一、全球第三；河南沃森超高分子量聚乙烯产能（4 万吨）居全国首位。

电子化学品产业方面，濮阳迈奇化学 *N*- 甲基吡咯烷酮（6 万吨）生产规模亚洲第一；洛阳中硅高科在电子信息和光通信领域实现系列突破，掌握芯片生产制造领域高端硅基材料核心技术。

生物基材料产业中，周口金丹乳酸 L- 乳酸产能（18.3 万吨）为亚洲第一，拥有从玉米种植到聚乳酸合成的成套国际先进产业化生产技术。

氟基新材料产业内，焦作多氟多 UP-SSS 级氢氟酸（5 万吨），为国内首家实现生产和大规模应用的企业，其六氟磷酸锂产销量（5.5 万吨）世界第一。钛基新材料产业内，龙佰集团钛白粉（151 万吨，全球市场份额约 17%）产能居世界第一。

（3）数字化发展情况　在数字化浪潮的推动下，河南省化工材料行业积极拥抱变革。全省化工材料行业的工业关键工序数控化率达到 61.1%，数字化研发设计工具普及率为 81.6%，已建成 68 家智能制造示范工厂。部分企业在数字化转型中成效显著，如河南佰利联新材料公司通过基于工业互联网平台的数字化生产运营管理项目建设，显著提升了设备智能化水平，氯化法钛白粉生产效率与产品质量大幅提高，在行业内起到良好示范作用，有力推动了产业的数字化、智能化升级。

（4）能耗情况　河南省化工产业以“三大改造”为抓手，深入开展绿色产品、绿色工厂、绿色园区示范工程，并持续参与“能效领跑者”活动。通过一系列举措，合成氨、甲醇、烧碱、纯碱、醋酸等重点耗能产品能耗和碳排放强度持续降低。河南金大地公司凭借在节能降耗方面的突出表现，连续 9 年荣获工信部颁发的联碱法纯碱生产企业“能效领跑者标杆企业”；心连心集团公司更是连续 13 年（2011 ～ 2023 年）被工信部和中国石油和化学联合会评为

"合成氨能效领跑者标杆企业"，并获评环保绩效评价 A 类企业，成为全省化工产业绿色发展的典范。

5.5.2 产业链发展现状

河南省依托自身资源禀赋与产业基础，已形成包括先进高分子材料、电子化学品、生物基材料、氟基新材料、绿色涂料等五大具有比较优势的化工新材料产业链，各产业链协同发展，呈现出良好的发展态势与广阔的发展前景。

（1）先进高分子材料产业链　在先进高分子材料领域，河南省众多企业已占据优势地位。河南能源的碳纤维、聚甲醛，河南银金达集团的 PETG，新乡化纤的黏胶长丝和氨纶干法纺丝，河南沃森化工的超高分子量聚乙烯在全国占据优势地位。未来，该产业链将围绕合成气资源，重点发展聚乙醇酸等可降解塑料，契合环保需求趋势。在碳纤维领域，将在航空航天用碳纤维基础上，拓展干喷湿纺大丝束碳纤维民用市场，同步发展碳纤维预浸件和碳纤维复材，延伸产业链条。针对光伏产业对乙烯 - 醋酸乙烯共聚物（EVA）的旺盛需求，将推动石化和煤化企业联合发展 EVA。同时，聚焦特种工程塑料如聚醚醚酮、聚砜、高温尼龙、液晶高分子等，凭借新能源和信息产业的发展机遇，加快产品布局与技术研发，提升产业附加值。

（2）电子化学品产业链　当前，河南省电子化学品产业链已具备一定规模与技术实力。洛阳中硅高科实现高纯电子级多晶硅、高纯四氯化硅、电子级六氯乙硅烷的量产；洛阳昊华气体的电子级三氟化氮、四氟化碳、六氟化钨和六氟化硫产品稳定供应市场；焦作多氟多的六氟磷酸锂位居行业第一。立足省内强大的基础化工产业，未来电子化学品产业链将着重发展通用性湿电子化学品，如硫酸、过氧化氢、氢氟酸、盐酸、硝酸、磷酸、氨水，以及功能性化学品蚀刻液、显影液、剥离液。通过产品结构升级，可显著提高产品附加值，填补国内相关领域空白，助力我国电子化学品产业自主可控发展。

（3）生物基材料产业链　宏业集团、浩森生物、星汉生物、华乐科技、河南龙都天仁生物、河南金丹乳酸科技等企业，为河南省生物基材料产业奠定了坚实基础。其中，河南金丹乳酸科技的 L- 乳酸产能达到 18.3 万吨，位居亚洲第一，并拥有从玉米种植到聚乳酸合成的国际先进产业化生产技术。未来，该产业链将以现有乳酸产业为根基，持续扩大聚乳酸产量，提升市场份额。同时，积极开发生物基戊二胺、生物基尼龙56、生物基四氢呋喃二甲醇聚酯、生物基多异氰酸酯及其衍生物、生物基多元醇（包括植物油基多元醇、松酯基多元醇、天然多糖基多元醇、木质纤维基多元醇）等新产品，丰富产品体系，推动生物基材料产业向高端化、多元化发展。

（4）氟基新材料产业链　2023年，河南省氟基新材料产业涵盖六氟磷酸锂/钠、双氟磺酰亚胺锂/钠等电解质产品，无水氟化氢、无水氟化铝等基础原料，有机氟材料，以及电子级氢氟酸、电子特气等电子化学品和同位素产品。

产业上游拥有洛阳丰瑞氟业、洛阳氟钾科技、鲁山县佛都实业等萤石矿企业，下游布局多氟多新材料、焦作市增氟科技、昊华气体科技等龙头企业，产业基础扎实。未来，产业链将以氟化氢、二氟一氯甲烷等基础原料为起点，向下游延伸至偏氟乙烯、全氟丙烯、六氟环氧丙烷等含氟精细化学品，进一步拓展至氟树脂、氟橡胶等高附加值产品。同时，大力推广绿色工艺、绿色产品及配套装备，淘汰高能耗、高污染、高环境风险工艺及设备，实现产业绿色低碳高质量发展。

（5）绿色涂料产业链　近年来，河南省涂料行业发展稳健，据中国涂料工业协会统计数据显示，2023年河南省涂料总产量达140.3万吨，在全国占比3.97%。行业内规模以上的涂料生产企业主要分布在郑州、开封、濮阳、南阳、新乡等地区。形成了以河南东方雨虹、展辰、聚龙聚氨酯等涂料和立邦等龙头企业为引领，双塔涂料、五一油漆等老牌企业为支撑的产业格局。未来，绿色涂料产业链将强化向上游延伸，推动煤化工企业利用合成气生产丙烯酸及其酯，为涂料行业提供优质原料。针对涂料产业污染较高的问题，将加快绿色工艺、绿色产品及配套装备的推广应用，降低能耗与排放。针对涂料产业污染较高的问题，将加快绿色工艺、绿色产品及配套装备的推广应用，淘汰落后工艺及设备，降低消耗与排放。同时，涂料行业呈现出三大发展趋势：一是行业凝聚效应日益凸显。随着营商环境优化与政策引导，省内小微型涂料企业逐步退出市场，国内大型涂料企业如立邦、三棵树、展辰、东方雨虹等行业龙头企业纷纷布局河南，生产中心逐步从沿海地区向中部和内陆地区转移。省内涂料企业抢抓“搬迁入园”机遇，正在逐步向濮阳、开封、新乡等地化工园区搬迁，河南涂料大省地位逐渐形成。二是产品结构持续优化，传统溶剂型涂料逐步被淘汰，水性涂料、粉末涂料、高固体分涂料等环境友好型涂料快速发展，企业通过产学研合作不断提升创新能力三是市场竞争力稳步提升。企业通过实施产品差异化发展策略、升级生产工艺、培育绿色发展理念、推进技术改造与智能化生产，显著提高产品附加值和市场竞争力，推动行业迈向高质量发展新阶段。

5.6 河南化工新材料产业发展问题剖析

5.6.1 要素制约瓶颈显著

河南省化工新材料产业发展面临多重要素制约。在环保与能耗管控方面，黄河以北濮阳、安阳、新乡等重点区域，受环保政策严格约束，化工项目能耗指标、环境容量审批难度大。以某规划中的高端氟基新材料项目为例，因区域能耗双控及环境容量限制，项目推进受阻，延缓了产业升级进程。在资源开发受限方面，省内部分萤石资源分布于生态保护红线范围内，资源开采受限，导致氟基新材料产业上游原料供应稳定性不足，增加企业原料采购成本。此外，资金要素短板明显，部分拥有创新项目的化工企业因融资渠道单一、信用评级不足等问题，难以获取充足资金支持，制约企业技术研发与产能扩张。

5.6.2 产业链协同配套水平有待提升

河南省化工新材料产业存在产业链协同配套层次较低的问题。产业内企业间合作松散，专业化分工与协作机制不完善，企业之间关联性不强，部分产业处于产业链前端、价值链中低端，产品附加值低，链条关键环节缺失，产业链条短。同时，产业链延伸和关联缺乏深度、广度，难以形成产业集群效应，阻碍了产业整体竞争力的提升。

5.6.3 创新驱动能力亟待增强

尽管省内部分企业如多氟多在氟化工技术领域取得突破，掌握氟气氟化、氢氟酸氟化、氟化物氟化等多项核心技术及低品位氟资源高效综合利用技术，但从产业整体来看，创新能力仍显不足。在技术创新层面，基础性、前瞻性研究投入不足，关键核心技术对外依存度较高，在高端电子化学品、特种工程塑料等领域，自主研发能力难以满足产业快速发展需求。人才方面，中高端人才相对匮乏，中高端研发、管理人才相对匮乏，难以支撑产业创新发展。产学研合作机制有待完善，高校、科研机构与企业之间存在信息壁垒，科技成果转化率较低，未能形成高效协同的创新生态。

5.7 河南化工新材料绿色发展建议

5.7.1 强化政策引导，破除发展瓶颈

通过出台针对性政策措施，构建有利于先进材料产业有序发展的政策体系。在财税金融方面加大支持力度，完善相关政策，重点推进国内急需的高端领域技术创新与成果转化应用，优先选择研发基础扎实、市场前景广阔的产品作为产业化重点攻关项目，给予战略性新兴产业专项资金补助。同时，充分发挥政府采购的政策导向作用，鼓励在重点发展产业优先采用国产化工新材料，并建立新材料首批次应用容错和激励机制，降低企业创新风险。在产业集聚发展上，引导产业链上中下游企业有序集聚，简化引进企业审评审批流程，保障土地、能源等生产要素供应。实施生态环境差别化管控，优化关键材料检验检测流程，完善科技成果转化应用体系，破解产业发展的瓶颈制约。此外，大力实施知识产权战略，设立专项基金，加速核心技术成果知识产权转化进程，提升知识产权运营效率，为产业发展提供政策保障。

5.7.2 优化创新链条，推动协同发展

围绕产业链关键环节部署创新链，培育具有引领作用的链主企业，构建“链主企业牵引、中小企业集聚”的创新生态。针对新材料产业集群，聚焦“卡脖子”技术难题，推动链主企业与配套材料企业协同创新；鼓励链主企业向配套材料企业开放供应链，实施关键材料、关键装备国产替代计划。以碳纤维产业为例，完善航空碳纤维复合材料“材料—工艺—设计—制造一体化”的产业链配套服务体系，开展高性能碳纤维在高端制造、战略性新兴产业等领域的应用技术研发和示范，推进产业化项目建设，提升上、中、下游产业链自主可控水平。针对生物材料产业集群，以满足下游高端应用需求为牵引，贯通“上游原材料制备、中游聚合物合成、材料制品性能评价及优化、工程化成套技术开发、下游应用及规范管理”全产业链环节，实现产业协同发展，提升整体竞争力。

5.7.3 搭建创新平台，构建协同网络

加强重大共性技术创新平台与中试平台建设，促进集群产业形成协同创新网络。以碳纤维及其复合材料产业为例，以前沿引领技术和关键共性技术研发与应用为核心，打造创新资源集聚、组织运行开放、治理结构多元的综合性碳纤维产业技术创新平台，建立涵盖技术研发、复合材料应用研究、中试孵化、行业测试与标准平台等功能的子平台。同时，加大专业化服务平台建设力度，引导相关产业园区开展基础研究和应用基础研究，构建以企业为主体、市场需求为导向、产学研深度融合的创新平台，汇聚各方创新力量，提升原创性化工新材料的开发能力，推动产业技术升级。

5.7.4 实施人才战略，强化智力支撑

化工新材料具有产业链长、技术复杂的特点，应建立政府、高校院所、企业联合培养机制，打造具备跨学科专业能力的高层次人才队伍。完善人才评价与激励制度，探索技术转移、成果转化、知识产权运作、投融资等方面的新模式，激发人才创新活力。集聚化学工程、材料科学、分析化学、机械工程、自动化仪表等多领域专业人才，发挥“大兵团”协同攻关优势，加速化工新材料产业化进程。鼓励企业与省内科研院所建立长期合作关系，以项目为依托，组建稳定的核心研发团队，解决企业人才引育难题。

5.7.5 聚焦科技创新，发展循环经济

鼓励企业加大对绿色化工技术的研发投入，推广清洁生产工艺和节能减排技术，降低生产过程中的能耗和污染物排放。推动化工新材料产业链延伸拓展，加强资源回收利用，减少废弃物产生，提高资源综合利用效率。通过科技创新，探索产业绿色发展新模式，促进产业向绿色低碳、循环发展转型，实现经济效益与环境效益的双赢，为河南省化工新材料产业绿色发展提供技术支撑。

参考文献

[1] 程相天 .“双碳”目标下濮阳市化工新材料产业发展研究 [J]. 化工管理 , 2024 (9): 82-85+117.
[2] 顾松园 , 窦悦珊 , 吕晓东 , 等 . 我国化工新材料的发展机遇与建议 [J]. 当代石油石化 , 2024, 32 (2): 1-7+31.
[3] 张松臣 , 张成 , 张帆 . 化工新材料助力新能源行业发展机遇 [J]. 当代石油石化 , 2023, 31 (12): 5-10.

[4] 俞海明 . 发展高端化工新材料——建设可降解新材料产业基地前景可期 [J]. 中国石油和化工 , 2023 (9): 58-61.
[5] 张丽平 . 我国化工新材料行业发展现状与思考 [J]. 现代化工 , 2023, 43 (7): 8-13.
[6] 张师军 . 加快推进化工新材料领域“四化”转变 [J]. 中国石化 , 2023 (2): 32-35.
[7] 李闻芝 . 加快补上化工新材料产业短板——访中国石油和化学工业联合会化工新材料专委会秘书长卜新平 [J]. 中国石油和化工产业观察 , 2023 (1): 14-17.
[8] 俞斌 . 中国化工新材料产业发展态势及对策 [J]. 化工管理 , 2022 (35): 61-63.
[9] 李月清 . 化工新材料正在形成万亿级市场规模 [J]. 中国石油企业 , 2022 (6): 38-39.
[10] 何盛宝 , 黄格省 . 化工新材料产业及其在低碳发展中的作用 [J]. 化工进展 , 2022, 41 (3): 1634-1644.
[11] 中国产业经济信息网 . 河南涂料行业把握机遇谋发展 [EB/OL]. (2025-03-13).
[12] 武军伟 . 化工新材料产业发展现状和趋势 [J]. 化学工程与装备 , 2022 (3): 220-221+109.
[13] 李小松 . 化工新材料产业驶入快车道 [N]. 中国石油报 , 2023-11-14 (007).

第6章

尼龙材料产业绿色发展战略

聚酰胺（PA，俗名尼龙）产品体系丰富，包含数十个品种，其中尼龙 6 和尼龙 66 为核心品类。其合成路径多元，既可通过二元酸和二元胺缩聚而成（如己二酸和己二胺合成尼龙 66），也可经由环内酰胺开环聚合制备（如己内酰胺合成尼龙 6）。尼龙 6 和尼龙 66 兼具纤维（锦纶）和工程塑料的双重属性，在工业与民生领域应用广泛。

6.1 全球尼龙材料产业现状

6.1.1 产业重心向亚洲转移，中国主导地位凸显

尼龙 6 作为电子电器、军工、铁路、汽车、纺织及农业配件等领域的关键基础材料，其产业发展与全球经济增长及消费升级紧密关联。近年来，以中国为代表的亚洲地区凭借经济增速快、市场需求旺盛、生产成本较低等优势，成为全球尼龙 6 产业转移的核心承接区域。据化纤信息网数据显示，当前中国已跃升为全球最大的尼龙 6 生产基地与消费市场，产量占全球市场份额超 50%，亚洲地区总产量占比更是突破 70%，显著高于欧洲和美洲地区。这一格局的形成，标志着全球尼龙 6 产业的重心已从传统发达经济体向亚洲新兴市场转移。

6.1.2 技术迭代推动应用领域持续拓展

自 1935 年美国成功合成尼龙 66、1943 年德国合成尼龙 6 以来，历经近 90 年的发展，尼龙产业生产技术趋于成熟，生产工艺不断完善，传统全苯线路生产工艺因能耗高、污染大等问题已经退出市场，取而代之的是 20 世纪 90 年代开发的半苯工艺线路。随着生产技术的不断创新和完善，尼龙制品的用途也向更广阔领域发展，尼龙 6 制品普遍应用于纺丝、注塑、改性等方面，是电子电器、铁路、汽车、纺织、农业配件等领域的重要应用材料。在传统的尼龙纤维领域，功能性、差别化尼龙被越来越多公司认可，尼龙纤维层级划分逐渐明晰。在其他应用领域，尼龙制品也由渔具、绳索向包装薄膜、精密铸件方向发展，由于改性后的尼龙制品具有优异的耐磨、抗震、耐腐蚀等特性，成为“以塑代木”“以塑代钢”“以塑代瓷”的典型替代材料，市场潜力持续释放。

6.1.3 市场格局呈现寡头垄断，国内企业发展空间巨大

全球尼龙 66 市场呈现高度集中态势，生产规模主要集中在美国、意大利、德国、日本、中国等国家，全球尼龙 66 前几名主要生产厂商占据绝大部分市场份额，行业集中度较高。2022 年数据显示，全球尼龙 66 产能排名前三的企业奥升德、英威达和杜邦，合计占全球 47.5% 的产能份额，行业头部效应显著。相比之下，国内企业虽逐步崛起，但仅神马股份跻身全球产能前五。同年，全球尼龙 66 行业市场规模为 83.32 亿美元（同比下降 14.2%），产能 312 万吨（同比增长 3.3%），产量 235.2 万吨（同比增长 1.5%）。这表明国内企业在技术研发、产能扩张及市场份额争夺方面仍存在巨大发展空间，亟需通过技术创新与产业升级突破国际巨头的垄断格局。

6.2 国内尼龙材料产业现状

6.2.1 企业竞争日趋激烈

当前，我国尼龙行业市场竞争态势日益激烈。神马股份、浙江恒逸、重庆华峰、恒申集团、福建永荣等企业已成为行业内的中坚力量，在产能规模、技术研发、市场拓展等方面各有建树。与此同时，中化国际、中国天辰等央企的强势入局，为行业发展注入新的活力，进一步加剧了市场竞争的激烈程度。随着我国尼龙行业市场需求的持续扩张，各龙头企业纷纷加大在尼龙 66 和尼龙 6 领域的研发与生产投入，以期在市场竞争中抢占先机，这将推动行业集中度进一步提升，促使市场格局朝着规模化、集约化方向发展。

6.2.2 产业规模快速增长

据国家统计局数据，2021 年我国尼龙行业产值攀升至 1018.44 亿元，相较于 2020 年的 898.9 亿元，增长了 119.54 亿元，同比增长率达 13.30%。自 2016 年起，尼龙行业产值累计增长 432.77 亿元，年均复合增长率稳定在 11.70%，展现出良好的增长态势。从区域分布来看，产业集聚效应显著，华东、华中和华南地区尼龙产业发展领先，分别占据 44.77%、14.38% 和 12.57% 的市场份额，三地合计

占比高达 71.72%，而其余地区总计占比 28.28%。区域集中度明显，优势地区凭借产业基础、市场辐射能力、政策支持等因素，在产业链构建、技术创新、人才汇聚等方面占据主导，引领我国尼龙产业发展。

6.2.3 产能产量有望进一步提升

截至 2022 年底，我国尼龙 6 产业规模持续扩张，产能达到 611 万吨，产量为 409 万吨，行业开工率维持在 69.7%。近年来，随着国内聚合技术进步以及原材料己内酰胺供应瓶颈的突破，尼龙 6 产能产量稳步增长。2014 ～ 2023 年，产量由 191.3 万吨跃升至 481.6 万吨，年复合增长率达 10.80%。在尼龙 66 方面，2022 年底产能为 78.1 万吨，产量 54 万吨，行业开工率 59.67%。过去，尼龙 66 产业化关键原材料己二腈主要产能集中在海外，制约了国内尼龙 66 产业发展。但随着近年技术突破，国内企业加快产能建设，2022 年我国尼龙 66 行业产能同比增长 11.9%，产量同比增长 25.1%。未来，随着相关技术的持续优化与新产能的释放，尼龙 6 和尼龙 66 的产能产量有望进一步提升，满足不断增长的市场需求。

6.3 河南尼龙材料产业现状

经过长期培育与发展，河南省已构建起较为完备的尼龙产业链体系，成为全国乃至全球尼龙产业的重要集聚区。截至目前，全省各类尼龙产品总产能突破 300 万吨，2023 年产业总产值达 1000 亿元，产业规模与综合竞争力持续提升。

在细分领域，河南省尼龙产业优势显著。尼龙 66 领域占据全球领先地位，其中尼龙 66 工业丝（13.6 万吨）、帘子布（7.4 万吨）产能位居世界首位；尼龙 66 盐产能达 35 万吨，位列亚洲第一、世界第四；尼龙 66 切片产能 24 万吨，居全国首位。尼龙 6 产业同样加速发展，随着一批重大项目落地实施，产业基地建设全面推进，为打造世界级尼龙新材料产业基地奠定坚实基础。

从产业布局来看，河南省尼龙材料深加工企业呈现多点开花的发展态势。以平顶山“中国尼龙城”为核心，产业辐射范围不断扩大，已从早期以平顶山、鹤壁为主要集聚地，逐步拓展至郑州、驻马店、周口等多个地市。各地依托自身资源禀赋与产业基础，差异化布局尼龙纤维、工程塑料、薄膜制品等深加工环节，形成了区域协同、优势互补的产业发展格局，推动全省尼龙产业向高端化、集群化方向迈进。

6.4 河南尼龙材料产业发展问题剖析

6.4.1 市场竞争加剧，龙头企业优势弱化

近年来，河南省尼龙材料产业面临激烈的市场竞争环境，以神马股份为代表的本土龙头企业市场控制地位有所下滑。一方面，国际巨头英威达在中国境内投资建厂，凭借其先进的技术和成熟的市场运营经验，直接参与国内市场竞争，分流市场份额；另一方面，己二腈国产化技术突破使得更多国内企业能够自主生产尼龙 66 的关键原料，降低对进口原料的依赖，行业进入门槛降低，新增产能快速释放。此外，中化国际、中国天辰等央企凭借雄厚的资金实力和政策支持，加速布局尼龙材料产业，进一步加剧了市场竞争。在多重因素冲击下，本土龙头企业市场占有率下降，原有的规模优势和市场主导地位受到挑战。

6.4.2 产业结构失衡，价值链延伸不足

河南省尼龙材料产业结构存在不合理现象。在产业链纵向分布上，产能与产值过度集中于上游原材料生产环节，而下游深加工领域发展滞后，导致产品附加值较低。数据显示，省内尼龙 6、尼龙 66 上游原料产能占比超过 70%，但下游制品产值仅占产业总产值的 30% 左右。在产品结构层面，高附加值的特种尼龙产品如高温尼龙、透明尼龙、生物基尼龙等开发不足，过度依赖尼龙 6、尼龙 66 等传统产品。以 2023 年为例，普通尼龙 6、尼龙 66 产品产能占比高达 90%，特种尼龙产能占比不足 10%。此外，在应用领域上，上游产品主要集中于工业丝、工程塑料等工业应用，民用切片、民用丝等消费端产品供给不足，难以满足多元化的市场需求，制约了产业向价值链高端延伸。

6.4.3 创新体系薄弱，研发能力不足

河南省尼龙材料产业研发能力亟待提升。从研发平台建设来看，区域内缺乏

统一规划和协同机制，公共研发平台布局合力尚未形成。现有研发平台多集中于企业内部，高校、科研院所与企业之间的合作松散，资源共享与协同创新不足。在研发机制方面，企业普遍存在“重生产、轻研发”倾向，研发投入强度偏低。同时，创新激励机制不完善，人才培养与引进体系不健全，导致高端研发人才短缺，创新成果转化效率低下，难以支撑产业技术升级和产品迭代，制约了产业核心竞争力的提升。

6.5 尼龙材料产业绿色发展建议

6.5.1 优化尼龙产业布局

着眼项目带动、产城融合，在平顶山市高水平规划建设“中国尼龙城”，打造尼龙新材料产业基地核心区。按照“一核两翼”布局，以平顶山尼龙新材料产业集聚区为核心区，以叶县产业集聚区、平顶山高新技术产业集聚区为两翼，编制规划并组织实施，同步开展规划环评。支持鹤壁等省辖市发展尼龙新材料后加工产业，构建错位发展、分工协作的良好产业生态。以平顶山市“中国尼龙城”为核心，形成“一核两翼”空间布局：核心区聚焦尼龙 6 和尼龙 66 基础材料生产，两翼发展深加工与终端产品制造。推动鹤壁等地错位发展后加工产业，建立区域产业链对接机制，降低配套成本。推进产城融合，完善园区环保设施与生活配套，建立企业环境评级制度，提升绿色发展承载力。

6.5.2 建设具有国际竞争力的尼龙新材料产业基地

依托平顶山市煤焦化工基础和氢气、粗苯等初级原料资源，加强同国内外领军企业合作，打造尼龙 6 和尼龙 66 大尼龙产业格局，实现良性互补、融合发展。巩固提升在国内行业的龙头地位，为发展下游尼龙织造、工程塑料等产业集群夯实基础。

6.5.3 建设尼龙织造和工程塑料产业集群

巩固高端市场优势地位，向终端消费市场迈进。积极发展高端服装、鞋帽、地毯、建筑辅材等产品，拉长产业链条，打造尼龙织造产业集群。引进国内外先进改性注塑技术，发展高品质工程塑料切片，打造尼龙工程塑料产业集群。

6.5.4 推进产业链协同发展

充分利用平顶山市现有焦炭、烧碱、氯气等初级原料，在符合安全、环保要求前提下，打造聚氨酯、聚碳酸酯产业链条，实现煤化工、盐化工、尼龙化工“三化一体”协同发展。谋划布局聚氨酯、聚碳酸酯及尼龙共混改性项目，提高原材料深加工程度，为下游新能源汽车、纺织服装、现代家居、建筑装饰等领域提供配套。

6.5.5 加强产业人才建设

一方面，针对尼龙材料产业发展现状和发展趋势，根据企业、高校和科研院所的要求，建立相应的人才引进政策，吸引并引进高层次尼龙产业人才。另一方面，依托高等学校，深化行业基础研究，推动行业技术进步，构建产学研交流平台。加强工程技术人员培训，依托行业培训班等多种渠道，提高专业技术人员职业素养和业务水平，满足行业对创新型、复合型人才需求。

6.5.6 强化科技创新

建设高水平研发平台，整合国内外研发机构和高端研发资源，组建尼龙新材料研究为主的新型研发机构，开展尼龙产业关键技术攻关，谋划筛选重大支撑性、先导性科技创新项目，产学研合作，政校企联动，加大研发投入，打造可持续全面发展的产业体系。

参考文献

[1] 孙宁 . 尼龙 6 产业链的发展趋势调研分析 [J]. 盐科学与化工 , 2024, 53 (9): 12-15.
[2] 岳珂 . 一根尼龙丝“链”起大集群 [N]. 鹤壁日报 , 2024-05-31 (001).
[3] 高轶鹏 . 打造尼龙新材料产业发展“强磁场”[N]. 平顶山日报 , 2024-03-27 (001).
[4] 孔凡哲 . 一块煤带动一个千亿产业集群 [N]. 河南经济报 , 2023-10-21 (002).
[5] 张建新 , 王冰珂 , 范长坡 , 等 . 加速尼龙产业集聚 夯实工业强县支撑 [N]. 河南日报 , 2023-01-28 (024).
[6] 薛雪如 , 尹东阳 .“双碳”背景下尼龙产业高质量发展路径探讨 [J]. 当代化工研究 , 2023 (1): 191-193.
[7] 刘永明 , 张宏怡 . 企地共建打造河南千亿级尼龙新材料产业基地——“中原煤仓”成功蝶变“中国尼龙城”[J].

中国石油和化工, 2022 (10): 64-66.
[8] 杨润凯. 关于河南省尼龙(锦纶)产业发展的思考 [J]. 中国纺织, 2022 (Z3): 116-118.
[9] 王佳臻, 蒯平宇, 刘会敏, 等. 国内尼龙 6、尼龙 66 产业的发展现状 [J]. 合成纤维, 2021, 50 (3): 8-11.
[10] 罗晨阳, 张跃超, 李振涛. 资源型产业转型升级发展战略研究——以平顶山尼龙产业为例 [J]. 现代商贸工业, 2020, 41 (21): 1-2.
[11] 吴指南. 尼龙进入河南十大新兴产业 [J]. 合成纤维工业, 2019, 42 (1): 25.
[12] 窦晓勇, 白荣光. 中国平煤神马集团煤基尼龙产业发展实践 [J]. 能源与环保, 2018, 40 (7): 5-8.
[13] 董建勋, 何泽涵, 杨光杰, 等. 我国尼龙 6 和尼龙 66 发展研究 [J]. 能源与环保, 2018, 40 (6): 162-164.

第 7 章

生物质产业绿色发展战略

生物质是指通过光合作用产生的各种有机体，是唯一可以转化为气、液、固三相的可再生能源。生物质废弃物资源具有来源丰富、可再生、碳中性的特点，其作为清洁可再生能源和材料的原料，在促进产业升级、保证能源安全、改善生态环境、减轻温室效应，推动经济社会可持续发展，实现人类和地球和谐共存方面具有重大意义。从全球角度来看，生物制造产业主要基于生物质资源瞄向生物能源产业、生物基材料产业和生物基化学品。

7.1 全球生物质产业现状

全球生物质产业正从“政策驱动”向“技术 - 市场双轮驱动”转型，生物能源、生物基材料和生物基化学品三大领域齐头并进。尽管面临原料、成本和技术整合等挑战，但随着合成生物学、数字化技术的突破和政策环境的持续优化，预计到 2030 年全球生物基材料和化学品市场规模将超万亿美元，生物质有望成为全球绿色转型的核心引擎。

7.1.1 生物能源产业

生物能源是最大的可再生能源，占可再生能源供应的 2/3 以上。生物质资源的典型分类包括城市垃圾、工业废物、初级固体生物燃料、沼气和液体生物燃料。生物质废弃物炼制液、气生物燃料技术主要可以分为热裂解能源化技术、气化能源化技术、糖化化学催化能源化技术、糖化发酵转化能源化技术、废油转酯能源化技术，其中主流的能源化技术如图 7-1 所示。

据世界生物能源协会（WBA）《2024 全球生物质能统计报告》显示，2022 年，全球可再生热能产量为 1.33EJ（艾焦），其中生物质占 96%。欧洲领先产生了全球 80% 的热量，其中生物能源占其总量的 95%。2023 年，液体生物燃料（主要是乙醇、生物柴油和可再生柴油）共供应了大约 1880 亿升，占运输可再生能源的 93%。欧洲在沼气供应方面处于领先地位，占全球供应量的 50% 以上。

（1）生物质发电　生物质发电是主要的生物质能利用形式。截至 2023 年底，全球生物质能发电装机容量为 1.5 亿千瓦。我国是全球生物质发电装机容量最高的国家，发电装机容积约 4414 万千瓦；巴西、美国生物质发电装机容

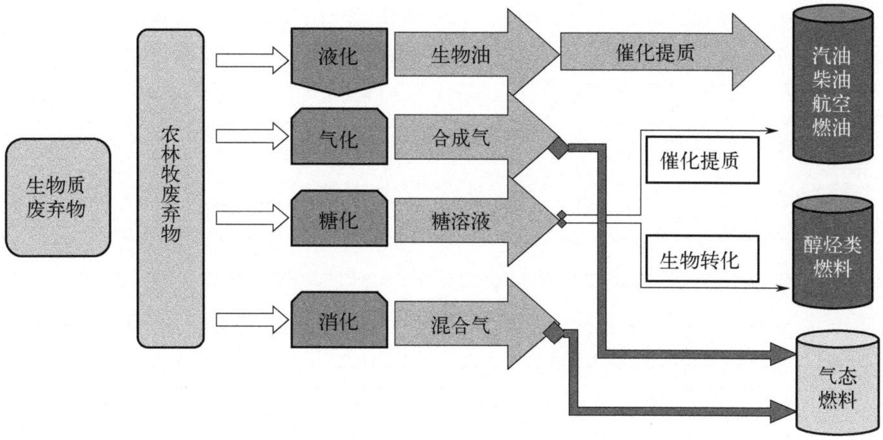

图 7-1　生物质废弃物炼制液、气生物燃料的典型能源化途径

量分列第二、第三位。尽管生物质能源的原料来源广泛，但目前仍面临着原料供应不稳定的问题；部分生物质能源技术目前仍存在转化效率较低的问题，亟需技术升级。

（2）生物燃料　从全球生物天然气生产规模来看，欧洲、中国和美国占全球产量的 90%。原料来源以秸秆和畜禽粪便为主，其次是污泥和餐厨垃圾。生物天然气的发展潜力巨大，但目前产量较低。2022 年全球生物天然气产量约为 70 亿立方米，其中欧洲、美国的产量各占 57%、29%，我国产量约为 3 亿立方米，占 4% 左右。与化石天然气相比，生物天然气的生产成本较高，在消费端，生物天然气已在全球范围内形成多种消纳利用模式，用于交通、工业、发电和供暖等行业。

2023 年全球生物燃料乙醇产量达 8897 万吨。美国是全球第一大生物燃料乙醇生产国，市场份额超过一半；巴西是第二大生物燃料乙醇生产国，占全球产量比重接近 33%；中国燃料乙醇产量为 340 万吨，占比约 4%。生物燃料乙醇因非粮原料开发受限，原料正逐渐从粮食作物向非粮作物和农林废弃物升级转变，生产技术亟需不断创新。

2023 年全球生物柴油产量达 6669.1 万吨，欧盟、印尼、美国、巴西四大产区占总产量的 82.2%，我国产量为 220 万吨；全球生物柴油消费量达 6586 万吨。截至 2023 年底，我国共有生物柴油总产能超过 400 万吨 / 年，产能利用率不高，核心原因是我国生物柴油行业国内消费推广时间尚短；但随着试点工作逐步展开，行业发展将处于加速状态。

（3）生物质成型燃料　生物质成型燃料是将农林废弃物压缩成颗粒状，比如木颗粒，或者块状、棒状燃料，以此提高能量密度，因其可再生性和较低的碳排放成为替代化石燃料的理想选择。欧洲是全球最大的市场，例如瑞典、德国，用于替代燃煤供暖。中国成型燃料年产能超过 5000 万吨，但标准化程度较低。根据国际能源署（IEA）的测算，2023 年全球生物质成型燃料市场规模已达 145 亿美元，预计将以 8.2% 的复合年增长率持续扩张，至 2030 年市场规模将突破 260 亿美元，形成覆盖农业废弃物、林业剩余物、能源作物等多元化原料供应的完整产业链体系。从区域格局来看，亚太地区凭借快速工业化进程和碳减排压力，正以 13% 的年均增速领跑全球市场，其中中国在“十四五”生物质能发展规划推动下，2025 年成型燃料产能预计达到 6000 万吨标煤，占全球总产量的 35%。欧洲市场则在严格的碳排放交易体系（ETS）和 REPowerEU 能源战略驱动下，生物质燃料在工业供热领域的渗透率将从 2023 年的 18% 提升至 2030 年的 32%。北美市场未来五年将新增投资超 50 亿美元用于生物质燃料加工设备升级。技术创新层面，成型燃料的能量密度提升技术（如高压致密成型工艺）、灰熔点控制技术以及智能化生产线（集成物联网监测和数字孪生系统）正在重塑行业竞争格局，龙头企业通过设备能效比提升使单位生产成本较 2020 年下降 28%。

7.1.2　生物基材料产业

生物基材料（bio-based materials）是指以生物质为原料或经由生物制造得到原料，通过生物、化学、物理等手段制造的一类新型材料，主要包括生物塑料、热固性树脂、木塑复合材料、木竹重组材料、生物基功能材料、生物基碳材料、生物基纳米材料等产品。

据全球经济合作与发展组织（OECD）发布的《面向 2030 生物经济施政纲领》战略报告预计，2030 年生物制造在生物经济中的贡献率将达到 39%，届时将有 25% 的有机化学品和 20% 的化石燃料由生物基化产品取代，然而目前替代率不到 5%。随着技术突破与政策驱动，生物基材料在替代石油基产品方面的增长空间巨大，有望成为未来十年全球绿色经济转型的核心赛道之一。

生物基材料生态效益高，具有原料可再生、生产碳排放少、能源节约等优势，替代石油基材料的潜力较大。2023 年，工信部原材料工业司公开数据显示，全球生物基材料产能已达 3500 万吨 / 年以上，其中生物基塑料市场增长尤为显著，自 2006 年以来，其销售额以 26.7% 的复合增长率持续攀升。生物基聚对苯二甲酸乙二酯（PET）、聚乙烯（PE）、聚丙烯（PP）、聚乳酸（PLA），以及聚羟基脂肪酸酯（PHA）等新型聚合物展现出强劲的市场活力。2023 年，全球生物基聚合物总产量达 440 万吨，虽占化石基聚合物总产量的 1%，但其 17% 的复合年增长率远超聚合物市场整体增速（2% ～ 3%），凸显出生物基材料在替代传统石油基产品领域的爆发潜力与战略价值。

生物基材料产业总的发展趋势主要表现在：①产品成本不断下降，材料性能不断提高，对传统石化材料的竞争力不断增强。②生物基材料正在从高端的功能性材料、医用材料向大宗生物基工业材料转移。③产业规模化，如以可持续发展、可生物合成、环境友好为特征的 PLA、PHA 和聚丁二酸丁二醇酯（PBS）产品已实现一定规模的生产。④产品多元化，如聚酯、聚醚多元醇节能保温材料、生物基表面活性剂、生物基塑料助剂、木塑功能性复合材料、高性能树脂等产品不断扩展。⑤生物基材料产业基地将会向亚洲南美洲转移集聚。

7.1.3 生物基化学品产业

生物质原料替代石油基原料、生化法结合或生物法是化学品制造业发展的重点方向。生物基化学品是指以可再生的生物质（淀粉、葡萄糖、木质纤维素等）为原料生产的大宗化学品和精细化学品等产品。

全球主要的大宗生物基化学品包括乙烯、乙二醇、丙二醇、甘油、丁二醇、乳酸、癸二酸等，生物合成技术已经产业化。全球丙酸主要厂商有 BASF、Dow、Perstorp 和 Eastman 等，全球前四大厂商占比超过 70% 的市场份额。生物基己二酸、对苯二甲酸等生物基化学品的产业化正处于起步阶段。全球己二酸市场仍以石油基己二酸为主，美国 Verdezyne、Asahi Kasei、DuPont，日本东丽、荷兰帝斯曼、巴斯夫等公司已经宣布正在推进生物基己二酸的研发生产。2022 年 8 月，日本东丽宣布开发出全球首个 100% 生物基己二酸，但由于规模化生产技术能力限制，计划将于 2030 年推动商业化应用。对苯二甲酸方面，生物基对苯二甲酸（Bio-PTA）可由生物基对二甲苯（Bio-PX）或苯、甲苯和对二甲苯的混合芳烃（Bio-BTX）制得，也可由生物质经多次转化制备而来。国际上，美国的 Gevo、Draths、Anellotech 和荷兰的 Avantium 等公司，正在进行 Bio-PTA 的产业化研究，如 Gevo 以棕榈油为原料通过异丁醇合成 Bio-PX，日本东丽公司已使用 Gevo 的 Bio-PX 制得 Bio-PTA，但尚未商业化；在国内，初创企业元革科技 2022 年宣布开发出基于松节油的 Bio-PTA 千克级别的小试工艺包。

2024 年，全球生物基化学品市场规模为 1199.4 亿美元，预计在 2024 ～ 2029 年预测期内该市场将以 10.3% 的复合年增长率增长。目前生物基化学品正朝着原料多元化、技术低碳化、应用高端化及政策驱动下的规模化方向发展，未来将成为化工行业绿色转型的核心驱动力，推动行业迈向绿色可持续方向发展。

7.2　国内生物质产业现状

7.2.1　生物能源产业

生物质能是将秸秆等植物原料利用微生物发酵生物制氢，制造成沼气、生物柴油和燃料乙醇等形式的能源。我国可作为能源利用的生物质资源总量每年大约相当于 460Mt 的标准煤。然而，目前已利用的只有相当于约 22Mt 标准煤的生物质资源，仅占可利用部分的不到 5%，还有约 440Mt 的潜力。生物质能是唯一可替代化石能源的含碳可再生能源，其在制备绿氢、绿电方面的潜在规模在可再生能源中占主导地位。

（1）生物质发电　2024 年全国生物质发电新增装机 185 万千瓦，截至 2024 年 12 月，全国生物质发电装机容量达到 4599 万千瓦，同比增长 4%。2024 年国内生物质发电量达 2083 亿千瓦时，同比增长 5%。生活垃圾焚烧发电是主力军，2023 年累计装机容量达 2577 万千瓦；农林生物质发电累计装机容量为 1688 万千瓦；沼气发电 2023 年累计装机容量达到 149 万千瓦。

（2）生物燃料　将有机固体和液体废弃物转化为高热值的生物煤、生物柴油、生物油等能源，同时减少污染物的排放，是实现废弃物资源化与低碳化的重要路径。

截至 2023 年底，我国规模化大型沼气工程和生物天然气项目数量已超过 200 个，总设计产气（沼气及生物天然气）规模约 18.37 亿立方米 / 年，其中生物天然气设计规模约 8.8 亿立方米 / 年，实际产量约 4.2 亿立方米 / 年；生物质清洁供暖面积超过 3 亿平方米，生物质供热量超过 3 亿吉焦；生物液体燃料年产量已超过 500 万吨，其中生物柴油年产量约 220 万吨，生物燃料乙醇年产量约 340 万吨。可持续航空燃料及生物甲醇目前仍处于起步阶段。国内生物柴油主要用于生物航空煤油和生物基材料制备等方面。国家能源局公开报告数据显示，我国生物柴油产量 90% 用于出口，欧盟 80% 以上的生物燃料原料依赖进口，中国产品占比达 60%。

（3）生物质成型燃料　自 2021 年国家发展改革委印发《关于“十四五”大宗固体废弃物综合利用指导意见》以来，中国已基本构建了农业废弃物和生活垃圾“收、储、运、处理”体系，为生物质固体成型燃料的原料提供保障。截至 2023 年，我国固体成型燃料的年使用量已达到了 2000 万吨，在热力发电、工业生产和居民生活中提供的总热量更是达到了 18 亿吉焦左右。2024 年上半年，我国生物质颗粒燃料产量约为 443.6 万吨，行业市场规模约为 47.38 亿元。

近年来，我国政府高度重视生物质能源的发展，将其作为实现“双碳”目标的重要抓手，在生物质热解气化、生物质液化、生物质发酵等领域取得了显著进展。例如，高效生物质气化技术的应用，大幅提高了生物质能的转化效率；纤维素乙醇技术的突破，为生物液体燃料的规模化生产提供了可能。同时，引入智能化、数字化技术，进一步优化生物质能源的生产和管理流程，降低了生产成本，提高了经济效益。未来，随着技术的不断突破，生物质能源的利用效率和经济性将进一步提升，推动行业向更高效、环保的方向发展。

7.2.2　生物基材料产业

生物基材料由于其绿色、环境友好、资源节约等特点，正逐步成为引领当代世界科技创新和经济发展的又一个新的主导产业。据统计，2023 年我国生物基材料产量已突破 800 万吨，产值超过了 1700 亿元，产量占据全球市场的份额超 30%，在全球生物基材料市场中有着重要地位。截至 2023 年底，中国生物基新材料产量突破 190 万吨 / 年，过去几年的增长速度接近 9%。并且自 2021 年起，产量年均增速超过 13%。此外，我国已建成的可持续航空生物燃料年产能达到 20 万吨，规划产能超过 300 万吨。

近年来，我国生物基材料产品种类和市场不断扩大，产品经济性增强，逐步走向工业规模化和产业化阶段。目前，我国生物基材料产业集群集中在东部环渤海、长三角、珠三角地带。其中，东部地区约占全国生物基材料产业产能的 70%，中部产业集群规划在湖北省武汉市和河南省濮阳市，而西部地区该产业薄弱，规模小、产品单一，尚无产业集群发展规划。

近年来，我国生物基材料领域功能菌株、蛋白元件等关键技术不断突破，产品种类逐渐增加，产业规模不断扩大，正从科研开发走向全面产业化规模应用，在塑料制品、纺织纤维、医药器械、涂料、农业物资、表面活性剂等方面得到广泛应用。相比于欧美等发达国家以大企业、大集团为主导地位的生物基材料产业布局，我国生物基材料的企业布局主要以中小企业为主体，产业规模小，产品竞争力较差。

未来生物基材料产业发展动力加快由“政策驱动”向“市场驱动”转变；发展方向加快由“粮食原料”向“非粮原料”转变；传统石化企业加快由“单基产品”向“双基产品”转变。

我国生物基材料正处于科研开发走向产业化规模应用关键时期，当前仍要坚持“政府端 + 市场端”两端同时发力，加快找准赛道、培引赛手、构建生态，持续提升生物基材料产业技术创新、规模化集约化生产、市场化开拓能力，加快抢占生物基材料产业竞争制高点。随着关键技术的突破和技术链的成熟，我国利用非粮生物质资源生产生物基材料产业将出现快速发展的格局。

7.2.3 生物基化学品产业

我国已经规模化生产的生物基化学品主要包括乳酸、乙二醇、1, 3- 丙二醇、长链二元酸等。我国是全球第二大乳酸消费国，也是最大的乳酸出口国，产能约占全球的 50%。国内企业主要以玉米为生物质原料制备生物基乙二醇。1, 3- 丙二醇方面，我国市场份额约占全球的 36%，国内现有产能约 3.2 万吨 / 年，只能满足国内年需求的约 50%。长链二元酸方面，以生物制造法生产的长链二元酸系列产品由于经济性、环保优势突出逐步主导市场，国内凯赛生物是全球首家，也是目前唯一一家能利用生物法实现大规模产业化的企业，产能约 11.5 万吨 / 年，产品国内市场占有率达 95%、国际市场占有率接近 80%。生物基己二酸、对苯二甲酸等生物基化学品的产业化正处于起步阶段。

国内生物基化学品产业还存在关键原料受限、核心技术缺乏、产品成本高昂、市场竞争力不足等现状，在总体规模和水平上仍与发达国家存在差距。

7.3 河南生物质产业现状

河南地处中原，是我国小麦、玉米的核心产区，小麦产量占全国小麦总产量的 1/4，位居全国第一；玉米产量占全国 1/10，居全国前五，所产生的秸秆资源居全国前列，生物质转化利用占据资源优势。2020 年，生物质发电 150 万千瓦，生物天然气产气量达到2000万立方米，生物液体燃料100万吨，生物质成型燃料200万吨。

河南生物基材料在省内分布相对较少，主要集中在濮阳南乐、周口郸城等地，主要聚焦在L-乳酸、聚乳酸、聚乳酸改性材料（乳酸钙、乳酸钾、乳酸亚铁）等，相关产能见表7-1。

表7-1 河南省生物基材料产能

产品	年产能	明细
L-乳酸及聚乳酸改性材料（乳酸钙、乳酸钾、乳酸亚铁）	37.8万吨	星汉生物年产20万吨高光纯聚合材料级L-乳酸及其他衍生品，河南金丹生产L-乳酸、乳酸钙、乳酸钠、乳酸粉等多个产品，产能17.8万吨/年
PLA	8.5万吨	金丹科技1万吨/年；永乐生物2万吨/年；龙都天仁0.5万吨/年，筹建5万吨/年
PBAT/PBS	73万吨	宏业生物60万吨/年（已取消），河南能源+美瑞新材10万吨/年，盛源能源3万吨/年
生物质纤维素	7万吨	中纺院绿色纤维3万吨/年新溶剂法纤维素，新乡化纤4万吨/年
糠醛	8万吨	宏业生物5万吨/年，浩森生物2万吨/年，心连心化肥1万吨/年
木糖	7万吨	盛久糖醇4万吨/年，华康糖醇3万吨/年
生物基助剂	3万吨	河南正通食品3万吨/年
PDO	1000吨	河南天冠1000吨/年
BDO	21万吨	河南能源化工10万吨/年，河南开祥11万吨/年
生物基乙二醇	千吨级	中原大化746.8吨/年，筹建3万吨/年
生物基戊二醇	2万吨	浩森生物2万吨/年，生产戊二醇系列产品及其衍生物

注：PBAT为聚己二酸/对苯二甲酸丁二醇酯，PDO为丙二醇，BDO为1, 4-丁二醇。

河南省在乳酸、木糖、糠醛等基础原料方面位于全国前列。另外，新兴的生物航煤（废弃油脂催化制备可持续航空燃料）方面，君恒生物现有20万吨/年，在建80万吨/年。与国内及国际先进地方相比，河南省生物基材料还面临着产业规模小、生产率低、技术不先进等问题，需要加大力度解决原料、成本问题，并加强工程示范。同时，河南省生物基材料和产品相关标准的制定和发展显得有些滞后，缺乏规范的行业标准。

2022年8月，河南省发展和改革委员会发布关于印发《河南省促进生物经济发展实施方案》的通知，主要任务中提及要巩固发展生物能源产业。积极发展生物质资源收运、成型、气化、发电及供热综合利用装置，突破先进生物质能源与化工技术，培育发展非粮生物质液体燃料多联产产品，探索开展纤维素乙醇、绿色生物炼制产业化示范。有序发展生物质发电，推动向热电联产转型升级。积极推进先进生物燃料在市政、交通等重点领域替代推广应用，推动化石能源向绿色低碳可再生能源转型。开展新型生物质能技术研发与培育，稳步发展生物质供气供热、生物液体燃料等，培育一批生物质装备制造、高附加值产品开发、综合服务等特色骨干企业。

2023 年 4 月，河南省发展和改革委员会发布关于印发《河南省新能源和可再生能源发展“十四五”规划》的通知，强调要促进生物质能高效利用。①积极发展生物质供热供暖，引导存量生物质热电联产项目加快建设，力争建成一批综合效益明显的垃圾发电工程；②加快发展生物质天然气，在以生物质原料收储运产业体系较为完善的县域，新建一批生物天然气示范项目，到 2025 年实现新增生物质天然气产能 3000 万立方米；③稳步发展生物质液体燃料，鼓励开展生物质液体燃料多产品联产，积极发展纤维素等非粮燃料乙醇，探索推动纤维素乙醇产业化示范，稳步扩大燃料乙醇生产和消费。升级改造生物柴油项目，提升产品质量，满足交通燃料品质需要，2025 年生物液体燃料年利用量达到 110 万吨左右。

7.4　河南生物质产业发展问题剖析

“十四五”是河南省实现“碳达峰”的关键期，也是推动经济高质量发展和生态环境持续改善的攻坚期，能源结构将加速向低碳、零碳方向演进。近年来，河南省生物质产业得到了快速发展并取得显著成就，但在发展的同时也存在以下问题。

（1）产业规模大而不强　大型企业和巨量级龙头，是支撑区域产业发展的重要因素。目前，河南省生物基相关企业，整体规模偏小，且竞争实力较弱。一方面，多数企业涉足的产业偏重产业链后端，功能化和灵活性较强，但规模、体量、产值以及带动作用十分有限，缺乏中层级原料型企业的支撑；另一方面，河南省缺乏例如帝斯曼、巴斯夫、赢创等跨产业领域的综合大型生物制造企业，制约了整体产业构架的横向宽领域拓展。

（2）技术创新能力不足，核心知识产权技术缺乏　虽然目前河南省在生物经济产业发展上取得了一定的成绩，但在技术创新方面与北京、上海、广州等国内生物经济领先城市仍差之甚远。生物基材料技术创新链长，现有生物基材料单项研究多，应用技术上相对具有较好的基础，但核心关键原材料依赖国外，乳酸等核心菌种技术滞后。

（3）多产业融合不充分　目前我省生物经济领域内相关产业的融合度不够，如生物基材料、农业、材料、能源等。例如，与生物质经济发达地区相比，我省生物基化学品、生物基材料、生物能源与大数据、人工智能等先进技术融合程度有待提高，传统农业与生物基化学品、生物基材料的融合有待加强。

7.5　生物质产业绿色发展建议

7.5.1　发展应用技术，促进生物质能高效利用

（1）积极发展生物质供热供暖　着力推进生物质发电布局优化，因地制宜，在具备资源条件的县城、人口集中的农村以及中小工业园区，推进生物质热电联产项目建设，满足民用取暖和工业集中用热需求。强化生物质发电环境价值，完善垃圾焚烧处理收费制度，稳步发展城镇生活垃圾发电。鼓励在有集中供暖需求的人口聚集区采用先进锅炉燃烧技术，发展以生物质成型燃料、农林生物质为燃料的生物质能清洁供暖。支持在分散供暖的农村地区就地取材，推广户用生物质成型燃料炉具供暖。

（2）加快发展生物质天然气　积极开展生物天然气示范工程建设。在粮食主产区、畜禽养殖集中区等种植养殖大县，加快建立以县域为单位的原料收储运、生物质天然气消纳、有机肥利用的产业体系。扩大兰考等一批生物质天然气项目的示范效应，带动省内各市县生物天然气项目建设，形成并入天然气管网、车辆加气、锅炉燃料等多元应用模式。到 2025 年，实现新增生物质天然气产能 3000 万立方米。

（3）稳步发展生物质液体燃料　鼓励开展生物质液体燃料多产品联产，积极发展纤维素等非粮燃料乙醇，探索推动纤维素乙醇产业化示范，稳步扩大燃料乙醇生产和消费。升级改造生物柴油项目，提升产品质量，满足交通燃料品质需要。

7.5.2 刺激绿色消费需求，赋能生物经济产业发展

生物质“可再生性、低污染性、碳中性、来源广”的特点赋予了生物经济绿色经济的特性。因此，应加强政策指导和社会宣传，倡导绿色消费，鼓励使用生物基产品，促使消费者转变消费观念，刺激绿色消费需求。企业应积极挖掘更深层次的内需潜力，加强以市场需求为导向的生物经济产品研发和生产。不断完善和优化升级生物经济产业链、价值链、创新链，形成良性循环经济。

7.5.3 培育龙头企业，发挥引领带动效应

利用河南交通枢纽、生物资源丰富、产业基础坚实等优势吸引国内外领先企业入驻，带动本土产业链上下游企业快速发展。着力培育本土龙头企业，整合优势资源，加强政策支持，推动企业做大做强，助力企业提升市场竞争力。优化营商环境，加快孵化生物经济新兴领域中小企业，逐步形成龙头企业引领、中小企业争先的产业发展格局。

7.5.4 创新生物经济发展体系，促进科技成果转化

积极推动河南省生物经济相关企业与国内外知名高校、研发机构、科研院所合作，推动建立国家重点实验室、国家级技术中心、联合研究院等科研创新平台，持续提升河南省生物经济整体创新能力。不断完善产学研用创新体系，提升科技创新成果转化水平。推动“生物经济＋数字经济”融合发展，加快布局互联网、人工智能、大数据、5G、物联网、区块链等前沿技术与医药、健康、农业、能源等产业融合发展。

7.5.5 加强政策支持，创建生物经济发展良好环境

强化人才引进政策，积极引进国内外生物经济领域研发团队和高端人才，加强国际间交流合作。加大政府对企业的资金支持，拓宽企业投融资渠道，建立多元化的产业投融资体系。出台相关规划，打造生物经济发展高地，形成产业集群，充分发挥产业集聚效应。进一步提升政府服务，简化审批流程、提高审批效率，完善市场准入机制，创建开放、包容、良好的生物经济发展环境。

7.5.6 构建生物质能行业准入标准，建立产品质量体系

建立适合河南省生物质能行业发展的准入标准，对生物质能源企业的生产和销售环节做出严格的控制和把关，促进生物质产业提高生产效率，做到合理有效地发展。对于产能落后的企业应及时淘汰，支持生物质能源企业并购重组，形成规模经济，提高产业结构效率。建立生物质能源产品质量检验中心，对于由生物质能源制备的产品可做不同规定。生物质能源产品检验是生物质能源产业中重要环节，为保证产品质量，需要对产品性能测试、系统安装测试、产品及零部件设计制定标准，对产品质量严格把关，推动生物质能源产业的蓬勃发展。

参考文献

[1] 李耀峰 , 赵苗苗 , 刘晟源 . 推动河南省新材料产业高质量发展对策及建议 [J]. 河南科技 , 2023, 42 (15): 137-141.
[2] 程沅孜 . 生物制造产业之生物基化学品现状分析 [EB/OL]. 生物基能源与材料 , 2024-1-12.
[3] 生物制造产业之生物基材料现状分析 [EB/OL]. 生物基能源与材料 , 2024-01-13.
[4] 吴丽琳 . 河南 : 2025 年培育 10 个重大先进制造业集群 [N]. 中国电子报 , 2021-10-29(002).
[5] 傅杰 , 周晨 , 张国俊 ."生物质转化与轻工制造" 基础研究发展战略思考——从科学基金资助布局到未来发展趋势 [J]. 中国科学 : 化学 , 2024, 54 (3): 287-294.
[6] 姜洋 , 曾玉敏 . 中国生物质能源产业链可持续发展提升路径研究——基于数字赋能视角 [J]. 商业经济 , 2024 (3): 51-55+85.
[7] 王国英 . 中国式现代化视域下新能源材料产业高质量发展研究 [J]. 塑料科技 , 2023, 51 (12): 117-120.
[8] 张晓龙 , 杨倩楠 , 陈静 , 等 . 乡村振兴战略背景下生物质废弃物生态产业化利用途径探讨 [J]. 安徽农业科学 , 2023, 51 (23): 59-64.
[9] 桑树勋 , 华凯敏 , 屠坤坤 , 等 . 生物质能高效利用与二氧化碳捕集利用封存耦合技术体系 (BECCS) 的发展方向与研究进展 [J]. 中国矿业大学学报 , 2023, 52 (5): 845-867.
[10] 任东明 . 构建新型能源体系背景下我国生物质能产业发展路径研究 [J]. 中国能源 , 2023, 45 (5): 5-15.
[11] 江洪 , 李晓南 , 高倩 , 等 . 生物基材料研发态势分析 [J]. 中国生物工程杂志 , 2024, 44 (1): 142-151.
[12] 何明明 , 王雅慧 , 刘真 , 等 . 我国生物质人造板产业资源利用与发展前景 [J]. 林产工业 , 2023, 60 (3): 84-87.
[13] 国家能源局 . 生物柴油发展再迎新契机 [EB/OL]. (2024-09-13).
[14] 经济日报客户端 . 生物基材料产业快速发展 标准化发挥重要作用 [EB/OL]. (2024-12-25).
[15] 思瀚产业研究院 . 生物柴油：全球市场潜力广阔，国内市场竞争力提升 [EB/OL].(2024-12-07).
[16] 原材料工业司 .《加快非粮生物基材料创新发展三年行动方案》系列解读文章之二："双碳" 战略下生物基材料迎来发展机遇，全产业链协同是关键 [EB/OL]. (2023-01-16).
[17] World Bioenergy Association. Global Bioenergy Statistics Report 2024[EB/OL]. 2024, 第 11 版 .
[18] 落基山研究所 . 国际视野 | 国际生物天然气市场观察 : 实践与展望 [EB/OL]. (2025-02-25).
[19] 河南省发展和改革委员会 . 关于印发《河南省新能源和可再生能源发展 "十四五" 规划》的通知 [EB/OL]. (2023-04-10).
[20] 河南省发展和改革委员会 . 关于印发《河南省促进生物经济发展实施方案》的通知 [EB/OL]. (2022-08-03).
[21] 庄修政 , 张兴华 , 张琦 , 等 ."双碳" 背景下中国生物质能利用技术的发展现状及挑战 [J]. 太阳能 , 2024 (7):40-49.
[22] 曹湘洪 , 周峰 , 姜睿 , 等 . 加快我国生物基材料产业发展的对策 [J]. 化工进展 , 2025, 44(5): 2385-2393.
[23] 王京尧 . 绿色基因觉醒——生物基化学品的时代渐行渐近 [J]. 中国石油和化工 , 2025 (4): 39-40.

第 8 章

盐化工产业绿色发展战略

盐化工是指以盐（主要是氯化钠，包括海盐、湖盐、井矿盐等）为核心原料，通过化学加工生产一系列化工产品的产业，是基础化学工业的重要分支。其细分领域中，氯碱工业与纯碱工业是两大核心支柱：氯碱工业以电解食盐水为核心工艺，产出烧碱、氯气、氢气等基础原料；纯碱工业通过氨碱法、联碱法等制备纯碱，支撑民生与工业需求。产品沿产业链延伸至医药中间体、农药中间体、新能源等领域。盐化工产业是一个层次多、领域宽的行业，在工业链中，大多数集中在中游，主要生产纯碱、烧碱和液氯三种产品，PVC（聚氯乙烯）+烧碱和纯碱是盐化工产业发展中最为核心的两条产业链。

在国际竞争环境复杂多变的时代，国内经济发展面临关键的转型期，我国盐化工产业的原资源约束性在不断增大，市场需求的发展也难以进一步提高，盐化工产业产能过剩现象越发严重。目前，盐化工产业在创新发展过程中面临着技术创新人才和替代产业连续的匮乏，导致它难以有效发挥和释放新兴产业的发展潜力。

河南省集成了盐化工原产地和资源地，是国家食用盐生产基地、调拨基地、储存基地和战略物资基地，盐层厚、纯度高，保证了国家粮食安全，直接关系国计民生。

8.1 纯碱产业现状

8.1.1 全球纯碱产业现状

纯碱是一种重要的无机化工原料，下游用途广泛。全球范围内纯碱下游消费应用于平板玻璃，容器玻璃、肥皂 / 清洁剂、硅酸钠、其他玻璃、碳酸氢钠、合金 / 采矿、铝酸盐、三聚磷酸钠、重铬酸钠、纸浆、碳酸锂以及其他等行业。其中，玻璃行业作为纯碱的主要下游，产能的变化对纯碱需求影响明显。

目前纯碱的生产工艺主要是采用氨碱法、联碱法及天然碱法。从世界范围看，氨碱法占据主要地位，在美国以外的地区得到广泛应用，产能占世界总产能的半壁江山，其次是天然碱和联碱法。天然碱产能主要在美国，而联碱法则主要在中国。

全球纯碱产业作为基础化工领域的核心板块，其生产格局、贸易格局、技术路径、市场需求与未来趋势正经历深刻变革。

（1）生产格局

① 产能分布。中国、美国、土耳其形成全球供应三角，全球纯碱产能呈现

显著的区域集中化特征。中国以 3950 万吨 / 年的产能稳居首位，占全球总产能近 50%，采用氨碱法、联碱法与天然碱法并行的多元工艺结构，覆盖山东、河南、青海等核心产区。美国依托怀俄明州绿河地区 600 亿吨的全球最大天然碱矿资源，自身的消费量却不到其产量的一半。北美地区年产能约 1390 万吨，全部采用天然碱法，成为全球最大纯碱出口国。土耳其通过 2017 年卡赞项目将总产能提升至 600 万吨，凭借地理邻近欧洲与中东的优势，年出口量达 400 万吨，跃居全球第二大供应国。此外，欧洲传统氨碱法产能约 1400 万吨，因环保压力和成本劣势，产能利用率不足 50%，逐步让位于新兴资源国。

② 工艺演进。全球纯碱生产工艺呈现天然碱法扩张、合成法收缩的趋势。天然碱法凭借低成本（较合成法低 20% ～ 30%）和环保优势（零废渣排放）成为主流，产能占比约 30%，集中于美国（占全球天然碱产能的 80%）和土耳其。中国近年加速天然碱开发，内蒙古阿拉善塔木素项目一期 500 万吨产能投产，二期 280 万吨计划 2025 年落地，推动国内天然碱总产能突破 1000 万吨，预计 2030 年可达 3000 万吨以上。

氨碱法虽仍占全球产能约 45%，但受环保政策冲击，如中国《高耗能行业节能降碳指南》要求 2025 年标杆产能占比 50%，其高废渣、高碳排放（每吨纯碱排放 8 ～ 10m^3 废液、1.13t 二氧化碳）的劣势凸显，欧洲老旧装置逐步淘汰，中国氨碱法产能占比从 37%（2024 年）持续下降。

联碱法作为中国特色工艺，占国内产能 45%，因副产氯化铵会造成土壤酸化风险，处理困难，产能扩张受限，但通过循环经济优化（如河南金山化工的热电联产模式），在部分地区仍具竞争力。

（2）下游需求结构

① 传统领域。纯碱作为“化工之母”，在玻璃行业贡献超半数。下游应用覆盖平板玻璃（28.7%）、容器玻璃（19.5%）、洗涤剂（15%）、冶金（助熔剂）等领域，其中玻璃行业消费占比超 50%。全球平板玻璃需求受建筑、汽车行业拉动，年均增速约 2% ～ 3%；而光伏玻璃成为近年增长核心引擎，2020 年后受“双碳”政策推动，需求年均增速达 5%，预计 2030 年光伏玻璃对纯碱需求增速将超 10%。中国作为全球最大光伏玻璃生产国，占全球产量 90%。2023 年光伏玻璃对纯碱需求增量达 160 万吨，占国内总需求约 6%。

② 新兴领域。

碳酸锂生产：纯碱作为锂盐提取的关键原料，受益于动力电池需求爆发，全球碳酸锂用纯碱需求年增速超 15%，中国青海盐湖、江西锂矿等产区需求旺盛。

高端纯碱：电池级纯碱（纯度≥ 99.8%）用于钠电池正极材料和电解质，中国雪天盐业、苏盐井神等企业已实现量产，较普通纯碱高 200 元 /t，技术突破推动产品溢价。

特种玻璃：电子玻璃、药用玻璃对纯碱纯度要求严苛（铁含量＜ 0.003%），国内企业通过工艺优化逐步替代进口。

（3）国际贸易格局

① 出口主导国。美国凭借天然碱法低成本优势，占据全球 50% 的纯碱贸易量，主要出口至拉美（28%）、东南亚（26%）及欧洲市场。土耳其依托卡赞项目的区位优势，将欧洲市场份额从 2016 年的 15% 提升至 40%，挤压中国在中东、非洲的出口空间。2023 年土耳其地震虽短期影响产能，但灾后重建提振本地玻璃需求，出口逐步恢复。我国 2022 年出口量达 205 万吨，占产量的 7%，主要面向东南亚（越南、印尼）、东北亚（日韩）及“一带一路”沿线国家，但受土耳其低价竞争冲击，国际竞争力有所下滑，2023 年一度转为净进口国。

② 进口区域。西欧因本土氨碱法产能萎缩，利用率＜ 50%，70% 的纯碱依赖土耳其与中东进口，形成“资源—市场”逆向流动。印度、东南亚作为新兴消费市场，需求增速超 5%，但本土产能不足（印度年产能 450 万吨），依赖中国、美国进口。运输半径决定贸易边界，美国天然碱通过海运覆盖全球，土耳其凭借陆运快速渗透欧洲，中国则通过中欧班列拓展中亚、东欧市场，但长途运输推高成本，制约出口规模。

（4）挑战与趋势

① 核心挑战。

环保政策趋严：氨碱法因高废渣、高碳排放面临淘汰，欧盟碳关税（CBAM）及中国“双碳”目标倒逼企业升级工艺，天然碱法成为替代首选。

能源成本波动：2022 年欧洲天然气价格飙升导致纯碱生产成本激增，美国、土耳其凭借资源禀赋维持优势，中国联碱法因煤炭成本可控相对稳健。

技术创新滞后：合成法工艺改进空间有限，天然碱水溶开采、倍半碱精制等技术被美国、中国垄断，中小产能面临整合压力。

② 未来趋势。

产能增量集中于资源国，预计 2030 年全球新增产能超 1600 万吨，主要来自中国远兴能源二期 280 万吨、美国天然碱扩产及土耳其 We Soda 新增 60 万吨，行业集中度进一步提升。

需求增长两极分化：传统玻璃需求温和增长（年增 2% ～ 3%），光伏、锂电驱动的高端纯碱需求增速超 10%，预计 2030 年全球总需求突破 8000 万吨，其中新能源领域贡献 70% ～ 75% 增量。

全球化竞争加剧：美国依托资源垄断巩固出口地位，土耳其通过地缘优势抢占欧洲市场，中国需通过“一带一路”深化东南亚、中东布局，并加速天然碱技术输出（如新疆塔里木盆地千亿级矿源开发）以提升国际话语权。

全球纯碱产业正处于资源禀赋决定基础、技术创新驱动升级、政策导向重塑格局的关键阶段。美国凭借天然碱资源与成熟工艺维持领先，土耳其以区位优势快速崛起，中国则通过产能规模、产业链协同及新能源需求红利争夺主导权。未来，行业将围绕绿色低碳转型（天然碱替代合成法）、高端化突破（电池级、电子级产品）及全球化再平衡（新兴市场开拓与贸易壁垒应对）展开深度变革，唯有兼具资源控制力、技术迭代力与市场洞察力的企业，方能在新一轮竞争中占据先机。

8.1.2 国内纯碱产业现状

2023 年国内纯碱在产产能 3670 万吨 / 年，同比增加 21.2%；产量 3224 万吨，同比提高 9.2%；装置平均开工率为 87.8%（自 2015 年以来保持在 85% 以上），同比下降 8.1 个百分点。2024 年纯碱继续延续增长态势，估算 2025 年我国纯碱产能超过 3900 万吨 / 年，同比提高 6.2%。

纯碱主要发展是受国家政策影响，在产业结构调整指导目录（2024 年版）中，鼓励发展利用二氧化碳加氢制化学品，限制单纯新增纯碱（井下循环制碱、天然碱除外）的产能，目前，国内新增纯碱主要是以绿氢和二氧化碳联产以及天然碱开采等为主，新增产能大概有 400 万吨，氨碱的竞争力在不断降低，联碱和天然碱是未来产业发展的主流。

8.1.3 河南纯碱产业现状

2024 年，河南省拥有纯碱产能约 830 万吨，实现销售收入 255 亿元，全省纯碱消费量 120 万吨左右。预计 2025 年河南新增纯碱产能 60 万吨，主要是废盐综合利用、二氧化碳减碳示范和天然碱等。

2024 年全国纯碱行业产能大幅提升，博源集团（内蒙天然碱）800 万吨产能达产，阜丰产能 30 万吨，德邦碱厂（6 月份）60 万吨、连云港碱厂（10 月份）

120 万吨，导致行业进入供大于求的境地，各生产厂家势必在价格上进行拼杀，会导致销售价格进一步向下调整。2022 ～ 2023 年价格异常高涨的情况势必结束，产品价格急于调整回归正常。

河南纯碱由联碱和天然碱生产方式构成，其中金山化工集团是国际产能第一的联碱法纯碱生产企业，产能达 550 万吨，连续 8 年在工信部发布的能效领跑者位列第一。博源化工是亚洲最大的天然碱生产企业，在河南拥有 180 万吨的生产能力，集团拥有 680 万吨天然碱的生产能力。联碱法氯化铵河南销售量在 200 万吨左右，可以说产能过剩严重。由于近几年，纯碱受光伏玻璃和新能源储能原料的刺激，价格居于高位，刺激了社会的资金投入，每年进口量也大幅度增长，2023 年纯碱进口约 68.3 万吨，主要集中于沿海市场。未来河南省纯碱主要是探索绿色、低碳、智能化发展，降低生产成本，提高绿色化效能，增强企业竞争力。

8.2 氯碱产业现状

氯碱产业是以电解食盐水为核心工艺，同步产出烧碱、氯气、氢气三大基础原料，并延伸加工聚氯乙烯（PVC）等衍生产品的基础化工支柱产业，其产品广泛支撑建筑、化工、新能源等众多领域发展。

8.2.1 全球氯碱产业现状

世界烧碱大约有一亿吨的产能，从产业规模看，2024 年全球氯碱市场规模已达 711.8 亿美元，其中核心产品烧碱总产能突破 10648 万吨，总产量约 8480 万吨；作为氯气主要衍生产品的 PVC，全球总产能达 6252 万吨，总产量约 4720 万吨，整体呈现稳步扩张态势。随着下游市场的不断开发，世界烧碱市场需求持续增加。未来烧碱仍然延续扩展局面，特别是战争的蔓延和战后国际经济的恢复，将会刺激烧碱产业的恢复性需求。

需求端呈现结构性增长特征：传统领域中，建筑用 PVC 管材、氧化铝精炼、造纸印染等刚性需求持续存在；新兴领域成为重要增长引擎，光伏产业中氯气用于硅片净化、烧碱助力玻璃加工，风电涡轮机涂料与黏合剂也依赖氯碱产品，预计到 2030 年新能源领域对氯碱的需求将强劲增长。区域市场分化明显，亚太地区凭借工业化进程和政策支持占据全球最大市场份额，欧洲产能逐步恢复，南亚则因需求增速滞后出现开工率下滑。未来，随着能源转型加速、新兴经济体复苏及战后重建需求释放，全球氯碱产业有望保持 4.2% 的复合年增长率。

8.2.2 国内氯碱产业现状

中国是世界第一大烧碱生产国和消费国。国内烧碱下游消费以氧化铝、化工、造纸印染等行业为主。氯碱主要发展受国家政策影响，在产业结构调整指导目录（2024 年版）中，限制新增烧碱（40% 以上采用工业废盐的离子膜烧碱装置除外）产能。

下游需求结构正经历优化升级：传统领域中，氧化铝仍是烧碱第一消费大户（占比约 27%），PVC 则主要用于建筑管材、门窗型材等基础设施领域；新兴领域增长迅猛，锂电池正极材料生产耗碱量持续提升，带动化工领域烧碱消费占比升至 20%，光伏、风电等新能源产业更成为氯碱产品需求增长的新引擎。2024 年我国氯碱市场呈现典型的“以碱补氯”格局，烧碱受氧化铝产能释放支撑需求偏强，利润有效弥补了 PVC 因地产需求疲软导致的盈利压力。

政策调控对产业发展影响深远。《产业结构调整指导目录》（2024 年版）明确限制新增烧碱产能（40% 以上采用工业废盐的离子膜烧碱装置除外），同时将乙炔法 PVC 等落后工艺列入限制类，淘汰高汞催化剂生产装置。在“双碳”目标引领下，行业加速向绿色化转型，离子膜法等先进工艺普及率提升，可再生能源替代与节能减排技术成为发展重点。目前我国氯碱产业集中度逐步提升，50 万吨规模以上烧碱企业产能占比持续提高，但仍有 60% 的企业产能低于行业平均水平，结构优化仍需持续推进。

国家鼓励硫、钾、硼、锂、溴等短缺化工矿产资源的勘探开发及综合利用，以及磷矿和萤石矿的中低品位矿、选矿尾矿、伴生资源的综合利用。主要表现在，废盐酸制氯气等综合利用技术、铬盐清洁生产新工艺的开发和应用；高效、安全、环境友好的农药新品种、新剂型、专用中间体、助剂的开发与生产，定向合成法手性和立体结构农药生产，生物农药新产品、新技术的开发与生产；高性能涂料及配套树脂用于光诊疗、光刻胶、液晶显示、光伏电池、原液着色、数码喷墨印花、功能性化学纤维染色等领域的新型染料、颜料、印染助剂及中间体的开发与生产；环保型水处理剂；硅材料对于苯基氯硅烷、乙烯基氯硅烷等新型有机硅单体，苯基硅橡胶、苯基硅树脂及杂化材料的开发与生产；氟化工对于全氟烯醚等特种含氟单体，聚全氟乙丙烯、聚偏氟乙烯、聚三氟氯乙烯、乙烯 - 四氟乙烯共聚物等高品质氟树脂，氟醚橡胶、氟硅橡胶、四丙氟橡胶、高含氟量 246 氟橡胶等高性能氟橡胶，含氟润滑油脂，消耗臭氧潜能值（ODP）为零、全球变暖潜能值（GWP）低的消耗臭氧层物质（ODS）替代品，全氟辛基磺酰化合物（PFOS）、全氟辛酸（PFOA）及其盐类和相关化合物的替代品和替代技术的开发和应用；生物基材料对于以非粮生物质为原料的高分子材料、试剂、芯片、干扰素、传感器、纤维素生化产品的开发与生产；四氯化碳、四氯化硅、甲基三氯硅烷、三甲基氯硅烷、三氟甲烷等副产物的综合利用等会加快耗氯产品的升级。

2023 年我国烧碱新增产能 102 万吨 / 年，达到 4778 万吨 / 年，增加 2.6%；产量 4027 万吨，同比增长 3.3%。国内烧碱消费量基本稳定，但国际贸易环境变化可能对市场产生一定影响，2023 年需求总量 3760 万吨左右，装置开工率下降至 78.7%。2024 年烧碱总产能达 5010 万吨（新增 209 万吨，退出 40 万吨），PVC 总产能 2951 万吨（净增 70 万吨），两项核心产品产能均居世界首位。产业布局呈现集聚特征，华东、华北、西北地区产能合计占全国近 80%，山东、内蒙古等依托资源能源优势形成大型产业集群。

8.2.3 河南氯碱产业现状

2024 年全省氯碱产能约 220 万吨，产量 190 万吨，实现销售收入约 260 亿元。氯碱下游主要产品有聚氯乙烯树脂、烧碱、氯气、盐酸、双氧水、氯乙酸、氯乙酸甲酯、氯化亚砜、氯乙酰氯、氯化石蜡、甲烷氯化物、钛白粉等，随着聚氯乙烯产业在河南不断缩减，氯 - 碱平衡被打破，液氯严重过剩。

氯碱产业的问题是耗氯产品产业链短，附加值低。由于河南石油化工产业相对薄弱，有机合成原料匮乏，致使耗氯产业竞争力较差，投资意向不足，制约了河南省氯碱产业的发展。随着洛石化百万吨乙烯和三门峡油田的开发，河南氯碱产业将会迎来发展的转型期，高端耗氯产品的研发制造，弥补了有机原料成本高的短板。

舞阳金大地盐化工产业升级示范工程的实施，将会给河南氯碱行业的快速发展奠定一定发展基础。主要项目有利用舞阳丰富的盐矿以及洛阳车村丰富的萤石矿建设千亿级氟硅新材料项目，促进“两碱”融合，优势互补，项目总投资 300 亿元，规划占地面积 3000 亩，打造氟、氯、硅、碳、氢新材料五条完整产业链及配套基础设施。

氯碱产业是基础产业，产业链条长，带动力较大，建议国家鼓励企业在发展中适度发展氯碱产业，以延链补链为基础，特别是精细化工产业，原则上产能以高端精细化学品来定位氯碱产能，做到氯 - 碱平衡。

8.3 我国盐化工产业发展问题剖析

（1）产业门槛设置低，产能过剩严重　我国盐化工产业发展历史比较悠久，盐资源分布较广且易获取，相关的加工应用科学技术也在不断提高。由于国家对盐化工产业的进入门槛要求低，对投资主体的要求简单，审核手续简化、见效快、收益稳，吸引了较多的投资者进行资金投入。投资者的数量不断提高，使得盐化工企业和产品数量急速增加。我国盐化工产业的主要产品产能逐年递增，而同期市场需求增幅降低，导致生产大于需求的现象出现，原料浪费现象严重。我国原盐资源根据地形分布，范围广，使得盐化工产业具有较低的集中度，各个企业之间相距得甚远，相互联系不频繁，在交流市场信息中存在滞后性，导致盐化工产业的综合竞争力无法提高。在全球国际竞争的丛林中，我国盐化工产业的产量可观，但整体的竞争实力较发达国家还存在一定的差距。

（2）产业分散广，技术水平较低　我国盐化工产业资源丰富，但相对分散。国家对盐化工产业的准入和投资设置了低要求，使得盐化工企业规模较小，产品质量和生产水平较低，技术装备水平更是参差不齐。在我国的偏远地区，盐化工企业受到地理位置的限制和国家相关政策扶持的缺乏，生产技术水平一直处于低端位置。相反，我国东部沿海地区占据地理位置的优势，盐化工企业的发展水平较高，产品生产技术也在不断创新。目前，我国盐化工产业整体产品数量在逐渐提高，但是在不同地区相关企业的发展水平具有很大的差异性。

（3）产品结构简单，利润空间小　当前，在我国盐化工产业市场中，产品数量较多但结构单一，市场竞争力明显不足，迫切需要产品创新，不断研发附加值较高的产品。我国盐化工高附加值产品研制的数量、品种、质量等各方面在与发达国家相比，存在较大差距。很多盐化工企业以制盐为主要的发展业务，存在资源利用率较低和浪费现象，创新技术水平低下。目前，虽然我国盐化工产业的基础原料在数量上占有优势，但利用率极低，连 10% 都不到；我国大多数盐化工企业还是以生产基础产品为主，销售价格不高，导致企业在市场竞争中利润空间小。我国盐化工产业的发展离不开基础产品，但是精细化工产品是盐化工产业发展的更高目标，在我国创新发展的政策下，盐化工产业应当不断进行产品细化和生产水平的提高，提高产品的附加值，让企业具有竞争力。

（4）缺乏专业性技术人才　近年来，盐化工企业数量在急剧增加，但企业的主要生产活动是围绕着基础产品，重复生产低端产品，产品质量无法提高，生产线效率不高。盐化工产业严重缺乏高端技术人才和先进设备设施的现象，使得产业结构无法得到升级，产业链的生产技术和生产设备的创新难度较大，无法满足盐化工产业中上下游产业链创新型发展的需求。

（5）盐化工产业下游需求不断增加　“十三五”规划以来，创新型发展战略是国家当前发展的重点策略，作为传统产业的盐化工产业是国家和社会公众所关注的创新发展的重要目标。纯碱、烧碱和液氯是我国盐化工产业的主要产品，而产业为了实现创新型发展目标，则需要使产品的附加值不断提高，产业链不断延长和加粗。纯碱化学名为碳酸钠，颜色为白色，粉末状，具有吸湿的功能。因为纯碱的功能特殊，被应用于玻璃、印染和洗涤剂等行业中。烧碱的特殊性质决定了它在纺织和印染等领域的重要地位，氧化铝是烧碱的下游主要应用领域。液氯不仅仅用于工业消毒，大多数是将其作为基础原料来生产漂粉精、盐酸、聚氯乙烯、氯酸钠和氯化苯等含氯的加工产品，是盐化工产业发展中的核心产品。

8.4　河南盐化工产业绿色发展问题剖析

（1）能源消耗大，三废排放量大　河南省盐化工产业大多采用传统工艺，能源消耗大。其中，氯碱生产属高耗能行业，每生产 1t 隔膜碱耗电 2450kW · h，占成本的 70%；生产 1t 离子膜碱耗电 2319kW · h，占成本的 60%，而国外电价仅占成本的 30%。盐化工产业产生的“三废”量大面广，据统计显示，在离子膜烧碱生产的大中型企业中，废水产生污染系数为 6.1t/t 的产品，废水排放量大，环境污染严重。

（2）产业结构不合理，产品附加值低　河南省盐化工产业结构不合理：一是资源、能源和环境约束日趋显现；二是产业集中度低，技术水平偏低；三是盐化工产业布局不合理；四是深加工产品少，产品附加值低。

（3）产业技术创新能力不足　河南省盐化工产业技术创新能力不强、绿色发展水平不高，导致研发投入少、企业技术创新资金不足，关键技术装备和核心技术受限；盐化工产业中企业规模小、产业集中度低、企业间协作水平不高等问题制约了技术创新机制的形成。

8.5 我国盐化工产业绿色发展建议

8.5.1 强化全流程管控，提升资源综合利用效能

聚焦盐化工产业资源依赖型特征，以产业集中度提升为突破口，加速产业集群化发展。通过严格执行环保政策，建立涵盖投资资产、技术工艺、资源循环利用的专业评估体系，为企业运营划定清晰标准。制定原料开采动态管理制度，依据资源储量与市场需求科学核定开采量，杜绝过度开发；同时，构建生产工艺流程标准化管控体系，从原料预处理到产品深加工实施精细化管理，推动我国盐化工产业实现质量与生产效率双提升，增强行业整体竞争力。

8.5.2 健全动态淘汰机制，推动产业提质增效

立足盐化工产业基础性、战略性地位，以国家政策法规为指引，深入剖析行业准入、落后产能淘汰、清洁生产等关键环节存在的问题。组建跨领域专家团队，定期对企业产能、资源回收利用效率等核心指标进行全面评估，精准识别低效产能。严格执行产能设置标准，依法依规淘汰不符合要求的企业，优化产业结构，促进优势资源向头部企业集中，提升产业发展集中度，实现原料利用最大化，推动产业向高端化、集约化方向迈进。

8.5.3 深化产业链延伸，增强产品市场竞争力

纯碱、烧碱和液氯是我国盐化工产业的基础产品，在市场中占据较大的比重，已基本形成了以氯碱为龙头、氯碱深加工和食用盐生产并存的盐化工产业发展格局。盐是化学工业的重要原料，盐化工产业未来发展将延长现有产业链，精细化工的发展则是在此基础上进一步延伸产业链条，依托先进的科学技术和设备进行深加工，将盐化工与石油化工、煤化工、精细化工、新材料化工相结合，形成以精细化工和新材料为发展导向的产业发展模式。面向国际、国内两大市场，利用沿江、沿海开发契机，生产盐和盐卤资源，将之加工成纯碱、烧碱、盐酸、

氯化钠等化工原料，做大做强品牌，同时积极关注上下游产业链，形成高效的生产结构。

8.5.4 构建协同创新体系，夯实人才发展根基

加强高校、科研院所对盐化工产业发展的技术研发和人才培育，搭建高校与盐化工企业合作的桥梁，推动产学研在战略层面的紧密协作。我国盐化工产业发展的基础是原料，高技术创新人才是盐化工产业快速发展的强力支撑。在全球创新发展和竞争激烈的环境下，做好盐化工产业技术研发、技术产业化、科技成果落地，是未来产业发展的重大战略取向。把握新一轮的产业技术革命，聚焦人才强企、搭建岗位成才平台，在高校中设置有关盐化工产业理论知识的相关课程，为我国盐化工产业发展培养高端技术人才。支持高层次人才、青年拔尖人才等科技领军人才以及符合我国盐化工产业发展和企业需求的“高精尖缺”专业技能型人才的引进，夯实盐化工产业高端技术人才培养的理论基础。建立高等院校、园区、重点企业自建或共建实训基地，将理论与实践相结合，为学生们提供实践基地。

8.6 河南盐化工产业绿色发展建议

8.6.1 优化盐化工产业结构，重点发展盐碱化工产业链

依托叶舞盐田、濮阳盐田、桐柏天然碱矿以及骨干盐碱化工企业，重点建设平（顶山）漯（河）、焦（作）济（源）、濮阳和南阳四大盐化工基地，优化平衡纯碱、烧碱、聚氯乙烯及其深加工产品结构，培育一批盐化工及精深加工骨干企业，支持制盐和两碱企业朝先进、大型、高效和节能方向发展，形成集约化、规模化发展的产业布局。

8.6.2 优化产品结构，发展特色盐新品种

稳步发展制盐业，大力发展液体盐，发展多品种盐；采用国家标准或国际先进标准，开发调味盐、营养盐、洗浴盐、洗涤盐等特色盐新品种，不断提高盐产品的附加值。

8.6.3 延伸产业链条，提高盐化工产品附加值

利用资源优势，发展以盐为原料的制造业及其衍生产业，盐碱结合，全卤制碱，延伸产业链，实现节能减排，发展绿色循环经济。坚持控制产能总量、淘汰落后工艺以及全周期能效评价的方针，围绕盐 - 纯碱、烧碱 - 氯、氢深加工产品链，发挥盐卤水、焦炭和石灰石等资源综合优势，提升离子膜烧碱和聚氯乙烯的规模化生产水平，加快发展附加值高、市场需求大的 PVC 型材、PVDC 薄膜、氯化聚合物、含氯中间体、新型制冷剂等氯碱深加工产品，大力开发聚氯乙烯糊树脂、氯化聚氯乙烯、氯化聚丙烯等系列化高附加值吃氯产品，提高本地氯气深加工比例。改进工艺路线，提升电石法 PVC 产品品质，着力拓展高档膜料、软板等高端产品市场，增强全省聚氯乙烯产品竞争力。

8.6.4 加快技术创新，促进产业绿色循环发展

采用国内外先进制盐技术，实现制盐生产装置大型化，鼓励企业加大技术创新投入，采用自动化程度高、能耗物耗低的先进技术和设备改造现有装备，促进盐化工产业节能减排和可持续发展。

参考文献

[1] 刘伟霞 . 我国盐化工产业发展的问题及对策建议 [J]. 中国盐业 , 2019, 347(20): 44-46.
[2] 李建国 , 贾桂花 , 岳丽娟 . 河南制盐和盐化工业发展现状与对策建议 [J]. 中国井矿盐 , 2010, 41 (4): 36-39+45.
[3] 申宏伟 , 杨军 , 崔向前 . 我国盐化工产业发展现状与对策研究 [J]. 当代化工研究 , 2023 (15): 11-13.
[4] 于焱 , 刘伟霞 . 盐化工产业发展现状与对策研究 [J]. 经济师 , 2021 (1): 43-45.
[5] 叶召友 , 李建国 , 王安国 , 等 . 河南盐业及盐化工发展展望 [J]. 盐业与化工 , 2013, 42 (9): 1-6.
[6] 海国栋 , 王旭峰 . 中国平煤神马集团盐化工发展思路浅议 [J]. 盐业与化工 , 2012, 41 (5): 11-13+24.
[7] 李媛媛 ."盐" 伸产业链 跑出高质量发展 "加速度" [N]. 河南经济报 , 2023-11-02 (002).
[8] 李宗耀 , 蒋元力 , 贾金才 , 等 . 煤化工与盐化工联合发展的循环经济之路 [J]. 中国氯碱 , 2011 (4): 4-8.
[9] 期货日报 . 全球纯碱生产、消费及进出口格局分析 [EB/OL].(2025-04-16).
[10] 吕会友 . 盐化工人才开发模式与产业转型升级的协同研究 [J]. 中国氯碱 , 2024 (10): 60-64.

第9章

新能源材料产业绿色发展战略

新能源材料指支撑新能源发展的、具有能量储存和转换功能的功能材料或结构功能一体化材料。新能源材料支撑新能源产业不断发展。能源存储作为能源利用的重要一环，电化学储能近年来发展迅速，成为重点关注方向之一。锂离子电池是新能源汽车和电力调节最有竞争力的储能技术，燃料电池是氢能时代的核心发电单元，因此，重点研究以锂离子电池和燃料电池关键材料为代表的新能源材料发展战略具有重要意义。

9.1 国内外新能源材料产业现状

纵观全球发展态势，美国、日本、欧盟等发达国家和地区，以及俄罗斯、巴西、印度和南非等新兴经济体陆续推行一系列支撑新能源材料产业发展的政策和措施。中国也专门制定了《中国制造 2025》《“十三五”材料领域科技创新专项规划》等，力争促进我国新能源材料产业发生结构性变化，全面重塑技术方式，形成开放竞合的发展生态。

经过多年努力，我国新能源材料产业取得了显著发展，技术水平日益提高，产业规模不断扩大，为我国锂离子电池材料、燃料电池材料等高技术产业突破技术壁垒、实现快速发展提供了坚强的支撑。从整体来看，我国新能源材料领域与国外先进水平相比仍存在较大差距。今后，我国新能源材料产业的竞争力仍需加强，以企业为主体的自主创新体系亟待完善，部分核心关键材料受制于人、高端材料对外依存度较高的问题需解决。为此，抓住机遇，合理规划，提升新能源材料产业的支撑能力势在必行，这对加快我国经济发展方式转变、增强国际竞争实力、实现材料绿色低碳发展目标具有重要的战略意义。

（1）锂离子电池材料　目前，锂离子电池领域的核心技术多被欧盟、美国、日本、韩国等国家和地区掌握，其中，日本最早开始生产锂离子电池，技术实力最为雄厚。我国一直重视锂离子电池材料的研究，在 20 世纪 80 年代就将其列为 863 计划的重点项目。近年来随着新能源汽车产业的发展，国内外对锂离子电池材料的研发投入仍一直保持较高的强度。

与发达国家相比，我国锂离子电池中的部分新材料高端产品占比还比较低，技术含量不高，产品的附加值较低，高端材料和电池的高精度自动化装备仍需大量进口。在专利方面，美国、日本、韩国已在锂离子电池领域进行了比较全面的覆盖，突破专利封锁是我国锂离子电池发展必须解决的难题。

（2）正极和负极材料　在磷酸铁锂和中低镍三元正极材料技术及产品方面，我国相关企业发挥后发优势，相关产品已在国内市场得到广泛应用，部分产品已出口。据中国有色金属工业协会锂业分会统计，2023 年我国三元正极材料产量 63.9 万吨，同比下降约 2.6%；磷酸铁锂产量 156.6 万吨，同比增幅约 30.9%；钴酸锂产量 8.6 万吨，同比增幅约 10.3%；锰酸锂产量 12.2 万吨，同比增幅约 40.2%。

负极材料行业市场集中度较高，我国负极材料的国际市场占有率已处于领先水平。2023 年全球负极材料产量 176.21 万吨，同比增速为 20%，其中中国负极材料产量占比进一步提升至 97.3%。出货量方面，全球电池负极材料出货量 167.95 万吨，其中中国占比高达 95%。

（3）电解液　全球电解液市场主要由日本三菱化学株式会社、日本宇部兴产株式会社、韩国三星 SDI 公司占据，各公司都拥有独特的添加剂制备技术。我国企业在部分功能添加剂的设计和生产方面还存在一定的进口依赖现象。

我国一些电解液生产企业在研发和产业化方面已位于世界前列，可满足国内动力电池公司对电解液的需求，市场集中度不断提高，行业领导集群已逐渐形成，其中部分企业已进入国际主流电池企业供应链体系，实现了海外市场的突破。目前，碳酸酯类溶剂和六氟磷酸锂已经实现国产化。

（4）锂离子电池隔膜材料　目前，世界上最好的锂电池隔膜材料来自旭化成株式会社和东燃化学株式会社两家日本公司。我国在干法隔膜领域的市场占有率已超过美国、韩国和日本，湿法隔膜进入大幅扩张期，但生产隔膜的原料和核心装备目前仍依赖进口。

（5）膜电极相关的基础材料研究　在燃料电池方面，我国金属双极板技术的原始创新不足，主要体现在与膜电极相关的基础材料研究与国际先进水平存在较大差距，尤其是质子交换膜。全球生产全氟磺酸膜的企业主要集中在美国、加拿大、日本、比利时等，其中美国戈尔公司在全球质子交换膜供应领域中处于领先地位。国内外的膜电极技术水平均有大幅提升，国内赶超国外水平的趋势明显。

（6）催化剂　在催化剂方面，开发低铂或非铂的高活性、高稳定性的氧还原反应（ORR）催化剂一直是质子交换膜燃料电池（PEMFC）的研究重点。目前车用燃料电池电催化剂的国外供应商主要有英国庄信万丰公司（Johnson Matthey）、日本田中贵金属集团（TKK）、德国巴斯夫化工集团（BASF）等。国内燃料电池催化剂尚处于研究开发阶段，主要有两类机构：一类是企业，如贵研铂业股份有限公司主营汽车尾气铂催化剂，已和上海汽车集团共同研发燃料电池催化剂；另一类是研究所，如中国科学院大连化学物理研究所制备的 Pd@Pt/C 核壳催化剂，其氧还原活性与稳定性表现优异。目前，铂合金催化剂是 ORR 催化剂的研究热点之一。

（7）气体扩散层基材　在扩散层方面，市场上商业化的碳纸或碳布可作为气体扩散层的基材，如日本东丽（Toray）碳纸，德国西格里（SGL）碳纸等，都是成熟的碳纸 / 碳布材料和气体扩散层产品。其中，日本东丽集团生产的碳纸具有高导电性、高强度、高气体通过率、表面平滑等优点，在全球市场上占据较大的市场份额，拥有的碳纸相关专利也较多。国内在该领域尚没有商业化产品，急需开发自主可控的扩散层产品。目前，中南大学正持续开展燃料电池用碳纸的研究，江苏天鸟高新技术股份有限公司基于碳纤维产品进行碳纸研发。

以锂离子电池为代表的二次电池广泛应用于手机等信息电子终端产品、电动车和电力储存领域，服务于信息产业，更是交通能源变革和电力能源革命的重要支持技术。燃料电池技术作为我国新能源产业的关键核心技术之一，被列入《能源技术革命创新行动计划（2016—2030 年）》《“十三五”国家科技创新规划》《可再生能源中长期发展规划》中等。

9.2　新能源材料产业发展趋势

9.2.1　行业垄断进一步加剧，关键材料控制成为竞争焦点

国外跨国企业在新能源材料领域不断拓展，尤其在高附加值的关键战略材料产品中占据着主导地位，通过技术和市场行业垄断实施产品封锁或倾销，遏制竞争国家的经济建设及重大工程实施。材料技术的进步是动力电池水平提升的基础，以三元电池为例，目前正处于低镍向高镍的转化期。美国少数企业垄断了高容量富锂和低钴 / 无钴正极材料的技术专利，德国、日本和韩国的少数企业在高镍低钴三元电池材料中占据优势地位，日本信越化学工业株式会社、美国 3M 公司等拥有硅基负极材料的关键专利技术。我国正负极材料和电池产能已是世界第一，但核心专利技术仍然缺乏。

在燃料电池领域，膜电极（包括催化剂、膜和碳纸）的性能及成本是限制燃

料电池大规模商业化的瓶颈。日本田中贵金属集团生产的铂催化剂在国际市场份额占有率居于首位，美国戈尔公司在全球质子交换膜供应领域中处于领先地位。日本东丽集团、德国西格里公司、加拿大巴拉德（Ballard）动力系统公司等生产的碳纸是我国燃料电池领域的主要进口产品，曾经出现过碳纸供应渠道中断的情况，对我国的燃料电池技术安全构成了严重威胁。

9.2.2 绿色低碳成为新能源材料发展的重要趋势

以节能环保和绿色低碳为代表的新能源产业迅速崛起，带动关键材料产业及应用的绿色化和低碳化发展。锂离子电池材料和燃料电池材料技术的不断突破使新能源汽车逐步走进千家万户，同时，汽车的电动化与智能化相得益彰，带来汽车行业和能源行业的深刻变革。未来 10 年将是现有主流混合动力和纯电动汽车市场发展的黄金时代，也是燃料电池汽车技术快速发展的 10 年，必将推动燃料电池用车载制氢系统的发展。高效、清洁、经济的燃料电池是世界强国布局未来发展的重点，随着配套技术逐步改进，燃料电池汽车有望在 15 ～ 20 年内成为新能源汽车的主流，特别是在重型货车和长途客车市场，将为重整制氢用高温催化材料迎来前所未有的发展机遇。

9.2.3 新能源材料的高性能化、尖端化发展明显加速

重大原创成果代表着科技硬实力，持续创新是保持科技强国地位的基石。随着一系列高新技术的突破，以锂离子电池和燃料电池关键材料为代表的新能源材料继续向更高精尖、高性能方向发展。在技术进步和产业发展双因素共同作用下，电池系统技术水平明显提升，生产成本也呈持续下降趋势。近年来，我国动力电池技术飞跃发展，并已实现了规模化生产；高镍三元材料量产的软包电池比能量达到 288Wh/kg；乘用车领域的电池系统比能量集中在 140 ～ 160Wh/kg，在成组效率及能量密度方面普遍高于国际同期其他产品。燃料电池关键材料、核心部件、电堆与系统的性能持续迅速提升。在催化剂方面，国内外均采用合金化以及形貌调控技术，使我国实验室中催化剂性能已经超过美国能源部（DOE）2020 年设置的技术指标。在质子交换膜方面，为提高燃料电池比功率，美国戈尔公司以全氟磺酸树脂为基础制备超薄增强膜，使面电阻进一步减小；在膜电极方面，国内外的实验室研究均已达到美国 DOE 设置的 2020 年膜电极铂

用量指标（$0.125mg/cm^2$），但目前国外最好的商业化车用膜电极铂载量仍高达 $0.35 \sim 0.4mg/cm^2$。

9.2.4 产业规模不断扩大，新能源材料成为经济增长新引擎

发展新能源汽车是保障我国能源安全的重大战略举措，是降低汽车污染排放的有效途径。2024 年，中国新能源汽车产销量突破了 1300 万辆。目前，我国已成为国际主要的锂离子电池材料生产国。在燃料电池方面，国内有多个省市推出了氢能与燃料电池的发展规范。

锂离子电池为我国新能源汽车的跨越式发展和能源安全提供了关键支撑。质子交换膜燃料电池由于具有功率密度高、室温下快速启动等优点，在交通运输和固定电站领域有着广泛的应用前景。

9.3 新能源材料产业发展前景

9.3.1 锂离子电池发展目标与任务

应支持动力电池关键材料与关键设备的技术攻关，完善锂离子电池关键材料研发、测试、应用验证和分析平台建设，支撑锂离子电池产业与产品升级以及成本降低；持续支持新型电池体系的创新基础与技术研究，发展更高比能量和高安全性、低成本电池技术；推进产业升级（如发展先进装备、强化先进控制与推行先进管理）与产品升级，在国家新能源汽车政策的支持下，保持国内市场高速发展；重视和促进超大规模企业（或企业联合体）的形成与发展，推动企业创新技术与产品、知名品牌以及高端人才队伍的培育与培养，不断夯实产业做“强”的基础。

发展目标为，2035 年前，金属锂负极二次电池比能量 500Wh/kg，循环 1500 次，实现在新能源汽车和特殊领域的规模应用；全固态金属锂电池比能量 600Wh/kg，循环 1000 次，全产业链成熟；新型电池比能量 800Wh/kg，循环 100 次。2035 年扩产后正极材料年产能为 1×10^7t，负极材料年产能为 3×10^6t，隔膜年产能为 $5\times10^{10}m^2$，电解液年产能为 1.2×10^6t。

重点发展任务为，面向电动汽车产业化，需要持续提升磷酸铁锂、锰酸

锂、三元等正极材料和硬碳、硅基等负极材料的先进制备技术和工艺，攻关功能电解液、高安全性隔膜等高性能动力电池的关键技术，支持锂离子电池材料行业的技术进步，开发高水平原位表征测量、无损检测、高空间分辨率三维成像和高速检测技术等。建立动力电池工艺技术装备的研发和服务平台，组织全行业力量进行攻关，建立与我国现阶段制造业比较优势相适应的动力电池制造工艺 / 装备和标准，采用物联网、大数据和新一代人工智能技术，解决动力电池及其关键材料制造的质量、效率和成本等问题。组织国内优势研发机构，跨领域联合开展新一代高容量锂离子正负极材料和以锂聚合物电池、锂硫、锂空气、钠空气、全固态电池为代表的新型体系电池的深度的基础研究和制造技术工艺研究开发，在下一代电池和材料发展过程中形成我国的高价值专利技术。

9.3.2 燃料电池发展目标与任务

应不断完善我国燃料电池的技术创新平台，鼓励开发应用质子交换膜燃料电池、直接甲醇燃料电池等小型实用燃料电池；支持低成本制氢技术与高容量储氢技术的研究与示范应用，发展燃料电池本体与材料技术以及燃料电池电动汽车动力系统技术，降低燃料电池应用成本；拓宽小型燃料电池系统的应用领域，推动燃料电池在电动车上的示范运营，形成完整的应用产业链。

发展目标为，2035 年，实现大规模制氢、储氢、运氢、用氢一体化，实现加氢站现场储氢、制氢模式的标准化和推广应用；自主掌握燃料电池核心技术，建立完备的燃料电池产业链，大规模推广应用氢能和燃料电池，创造突破万亿元人民币的市场价值，氢能汽车占动力车辆总量的 10% ～ 15%，并承担 10% 以上的能源需求。2035 年扩产后的低铂催化剂能够保障 500 万套燃料电池系统对电催化剂的需要，年产能达到 50t，同时非铂催化剂能够行车试验；离子交换膜能够保障 500 万套燃料电池系统的需要，年产能达到 $7.5\times10^7m^2$，膜电极年产能达到 $7.5\times10^7m^2$。

重点发展任务为，瞄准国际前沿，继续保持我国在低成本碱性膜燃料电池研究方面的优势。在基础材料方面重点开发新型高活性密度、长寿命的非贵金属催化剂，以过渡金属 Fe、Co 及氮杂碳为立足点，创新催化理论，提出高体积活性密度的新型非贵金属催化剂结构，并加速放大及推向市场；继续保持在碱性离子交换膜上的理论、设计和工艺创新，提出绿色环保的高性能长寿命碱性膜制备新工艺。在制备工艺以及燃料电池过程机理研究方面，借鉴酸性膜电极制备经验研制碱性膜电极，重点开发碱性膜电极的环境空气适应性和水管理过程控制，为发展下一代廉价材料体系的高性能长寿命燃料电池奠定基础。

9.4 我国新能源材料产业发展问题剖析

目前，我国总体上已成为新能源材料大国，但大而不强，存在自主保障能力较弱、高端材料受制于人、资源利用能力不高等问题，严重制约着我国新能源材料的可持续发展。

（1）部分基础原材料依赖进口，严重威胁关键战略材料产业链安全　在锂电池电解液产业中，国内企业部分功能添加剂的设计和生产在一定程度上依赖进口；在高性能膜材料领域，基层无纺布、聚砜、界面聚合单体等原料普遍依赖进口。作为燃料电池核心部件的燃料电池膜电极，其原材料如质子交换膜、树脂溶液、催化剂、碳纸等主要依赖进口。国内自主知识产权的超薄增强质子交换膜大规模国产化处于起步阶段；电催化剂的量产能力已有所提升，但性能和耐久性与国外相比还有较大差距；大规模使用的碳纸扩散层主要依赖进口，而国外正不断提高碳纸售价且大幅减少出口，威胁着我国关键战略材料的产业链安全。

（2）高端产品自给率不高，高端应用的自主保障能力不足　锂电池关键材料技术总体上仍落后国外先进水平，部分高端材料还依赖进口。技术创新能力不足、自主推出的新产品少、产品升级换代慢、相关专利及核心技术缺乏，阻碍了中国锂离子电池参与国际市场竞争的步伐。关键材料 Co、Li、石墨等资源不足，导致价格变动幅度大且有上涨趋势。

我国车用燃料电池技术无论在电堆性能、寿命还是成本方面，与国际先进水平比较仍有较大差距。国外高端燃料电池产品目前对国内禁售，亟需进行自主设计与开发，而高端产品研发所需的核心材料和部件仍主要依靠进口，如质子交换膜。我国正在实施面向此类高端基础材料的重大专项研究项目，预计在“十四五”末期，高端产品的自给率和自主保障能力将大幅提高。

（3）原始创新不足，“产学研用”合作平台欠缺　我国新能源材料基础研究薄弱，存在重应用轻基础、重模仿轻原始创新、重迭代轻颠覆性等问题，严重制约了我国新能源材料行业整体技术水平的提升。另外，缺少用于原始创新和基础研究的“产学研用”合作平台，大量创新成果仅停留在实验室研究阶段，没有高效的研发平台将基础性研究成果进行工艺小试验证和中试放大研究，阻碍了科研成果的快速转化和产业应用。

（4）基础性创新研发投入占比低　我国新能源材料核心技术和制造装备受制于人的局面尚未得到根本性扭转，产业处于价值链的中低端。研发投入分配失调，多用于应用技术的研发，基础研究研发投入占比低，导致关键核心技术攻关后劲不足。另外，基础研究与工业生产结合黏度低，限制了研究成果的转化，导致原始创新能力不足。

9.5　河南新能源材料产业现状

焦作市作为河南省发展新能源材料产业的核心区域，有很好的基础和较大的潜力。2022 年，焦作市新能源材料规上企业由 2021 年的 14 家增至 39 家，产品种类由 2021 年的 16 种增加到 30 余种，产值由 140 亿元增至 300 亿元，一座特色鲜明、布局合理、链条完善的“中部新能源材料城”雏形已现。2022 年，累计实施多氟多年产 10 万吨锂离子电池电解液关键材料等项目 110 个、总投资 1036 亿元，锂电池新材料产业集群入选省首批战略性新兴产业集群，动力电池产业链入选省重点培育特色优势产业链，新能源材料产业规模达 300 亿级。焦作市抢抓国家加快发展新能源汽车及“郑州大都市圈建设”的重大机遇，坚持以新能源牵引新材料、新材料支撑新能源，以打造千亿级产业集群为目标，以实施项目倍增和链主企业培育为抓手，全链条、矩阵式、集群化发展，全力建设具有鲜明特色的中部新能源材料城。

新乡市新能源电池专业园区位于“中国电池之都”新乡市凤泉区，是根据新乡市委、市政府批准成立的全市唯一一家新能源电池专业园区。园区立足现有产业发展基础，围绕新能源电池主导产业做大做强，吸引发展电池材料、石墨烯和其他相关材料，通过“建链、延链、补链、强链”，着力构建“新能源电池材料及构件—新能源电池—新能源装备—废旧电池梯级利用和回收利用”完整的产业链条，推动产业链条向“微笑曲线”两端延伸，着力打造新能源电池产业集群。

新乡市牧野区新能源与电池产业园区也是新能源材料生产的核心园区。目前，园区内“中国电池行业百强企业”达到 3 家，国家专精特新“小巨人”企业

2 家、省级专精特新中小企业 7 家、智能工厂（车间）3 家，科隆入选 2022 年河南省制造业头雁企业，天力锂能成功上市并入选重点培育头雁企业。园区拥有国家级电池检测平台 1 个、省级研发平台 19 个，正按照省、市部署，面向前沿技术，对接国家战略科技力量，引导和支持辖区电池企业积极参与平原实验室、电池及新能源实验室组建与建设，努力打造高能级创新平台。园区已入驻企业 200 余家，各类电池材料年产能达 5 万吨；锂电、镍氢、银锌等各类电池年产能 5 亿安时，电动车年产能 20 万辆，形成了从电池原材料到电池成品及电池组，到电池生产专用设备，再到低速电动车等较为完整的产业链条。

9.5.1 能源电池材料

近年来，河南省优化产业布局，推动技术创新，培育重点企业，打造产业生态，同时叠加国家“双碳”战略驱动和新能源汽车快速增长影响。省内锂电池产业迎来高速发展期，特别是在新能源电池材料方面竞争力较强。目前，已初步形成以郑州、洛阳、新乡、焦作为核心，平顶山、驻马店、南阳等地协同发展的产业格局。

（1）正极材料方面　河南省锂电池正极材料以三元材料（镍钴锰）为主，磷酸铁锂材料相对较少。重点企业有新乡科隆、新乡天力锂能、焦作佰利新能源、焦作伴侣纳米等。其中，新乡科隆主要从事三元正极材料及其前驱体的研发、生产和销售，是河南省首批国家高新技术企业，拥有发明专利 30 余项，是特斯拉等头部企业供货商。新乡天力锂能三元材料在小动力锂电池领域出货量居行业首位，市场占有率超过 40%。焦作佰利新能源年产 10 万吨磷酸铁项目已投产，是制备磷酸铁锂的关键材料。焦作伴侣纳米为多氟多子公司，锰酸锂材料产销量稳居国内第二。

（2）负极材料方面　河南省负极材料以石墨、硬碳等碳系材料为主，与国内技术发展基本同步，重点企业有平顶山五星新材、焦作聚能能源、焦作中碳科技等。其中，平顶山五星新材是国家高新技术企业、国家级专精特新“小巨人”企业，部分高纯石墨及高纯石墨制品实现国产替代。

（3）电解液方面　河南省在电解液领域拥有一定优势，产品技术指标居国际领先水平。其中焦作多氟多是全球氟材料行业领军企业，打破六氟磷酸锂技术垄断，实现国产替代。2022 年多氟多六氟磷酸锂出货量 2.6 万吨，在建产能 4 万吨 / 年。

（4）锂电隔膜方面　河南省隔膜产业有一定基础，但目前竞争力较弱，代表企业有驻马店惠强材料、新乡新瑞材料等。截至 2022 年底，全省隔膜建成产能约 7.4 亿平方米，在建产能约 10.2 亿平方米，实际产量约 4.4 亿平方米。

（5）锂电池制造方面　河南省锂电池制造竞争力较强，产品广泛应用于消费电子、新能源汽车等领域。省内重点企业有驻马店鹏辉电源、洛阳中航锂电、郑州比克电池、新乡弘力电源、新乡锂动电源、焦作多氟多新能源等。其中，驻马店鹏辉电源隶属于上市公司广州鹏辉，主要生产圆柱电池，应用于消费数码、新能源汽车、电动工具等领域。洛阳中航锂电主要从事高倍率、长寿命、大容量锂离子动力电池制造，处于国内第一梯队。新乡锂动电源填补了动力锂电池在轨道 / 牵引机车等重型装备应用的空白，该领域国内市场占有率超过 90%。焦作多氟多新能源是多氟多新材料全资子公司，专业从事锂离子电池研发、制造，与上汽、广汽、奇瑞等达成合作。

9.5.2　氢燃料电池材料

河南省聚焦制氢、储氢、加氢、氢能发电等环节，全面提升高端氢能装备供给能力。突破低成本、高效率、长寿命质子交换膜电解制氢、高温固体氧化物电解制氢成套工艺，加快发展制氢装备、氢气纯化装备和储氢供氢装备，提升关键阀体和高压件配套水平。开展质子交换膜燃料电池关键材料、部件批量制备技术研发攻关，研发燃料电池系统、车载供氢系统等氢能发电装备。

（1）氢气供应初具规模　河南省是化工大省，焦炭、烧碱、合成氨、甲醇等产业年副产氢气约 55 万吨，品质较好、价格较低，可为氢能产业初期发展提供充足低价的氢源保障。截至 2022 年底，河南省风电、光伏发电装机规模分别居全国第七位、第五位，随着风电、光伏发电技术逐步成熟和成本下降，省内具备了清洁能源制氢的资源条件。

（2）产业集聚效应明显　宇通客车是国内最早开始研发生产燃料电池汽车的整车企业之一，客车研发已进入第四代，重卡、物流车、市政用车等研发深入推进，累计在全国推广应用燃料电池汽车 458 台，运营里程超过 3500 万公里。同时，豫氢动力、骥翀氢能、捷氢科技、氢枫能源、中沁泰康等产业链上下游企业相继落地，燃料电池电堆、空气供应系统、70 兆帕储氢瓶、固态储氢设备、氢气管束拖车、加氢站建设运维等领域发展初具规模，郑州、新乡、濮阳等地相关产业开始集聚。

（3）创新平台培育初显成效　宇通客车、豫氢装备等企业建成了客车安全控制技术国家地方联合工程实验室、河南省氢能装备工程研究中心等一批国家级、省级氢能领域工程实验室。宇通客车联合清华大学、同济大学等高校以及正星氢电、日立信等优势企业，组建了河南省氢能与燃料电池汽车产业研究院。濮阳市依托中国石化新能源产业研究院，联合国内氢能产业知名企业，组建了氢能产业联盟。新乡市政府与河南师范大学成立了新乡电池研究院。河南投资集团与上海交大、宇通客车与同济大学深度合作，在豫组建了科研团队。省级战略性新兴产业投资基金平台成立运营，新乡、濮阳等地氢能产业园基本建成。

（4）交通领域应用国内领先　郑州市 2015 年建成全省首座、全国第三座加氢站，2018 年开通全省首条氢燃料电池客车示范专线。目前全省已建成加氢站 6 座，设计加注能力合计 4210kg/d。郑州已有 223 台燃料电池公交车分别在 20 条公交线路投入运营，累计运营里程超过 1000 万公里。以郑州为牵头城市的“1+N+5”燃料电池汽车示范应用城市群已获得国家批复。

（5）政策引导体系初步搭建　出台了《河南省氢燃料电池汽车产业发展行动方案》《推动河南省示范城市群氢燃料电池汽车产业高质量发展若干政策》等文件，郑州、新乡、濮阳、洛阳等地制定了支持氢能产业发展政策，积极引导产业发展。

9.6　河南新能源材料产业发展问题剖析

（1）工业内部结构亟需进一步优化　在工业内部，传统工业仍然占有较大比例，资源开发型和消耗型产业如煤炭开采、石油和天然气、黑色和有色金属等产业比重仍较大，导致低端制造业产能过剩，而以高技术制造业和战略性新兴产业为代表的先进制造业虽然在近些年发展迅速，但是与国内经济发达地区相比，中高端制造业存在发展不足、发展受阻、占比较低等问题，仍存在很大发展空间。因此，当前河南工业内部结构急需进一步优化，工业发展的整体科技含量有待进一步提升，工业发展层次和层级有待进一步提升。

（2）科技创新能力不强　当前支撑河南产业结构的科技创新能力仍然较为薄弱，表现在科研投入强度有待加强、科技资源分配不合理、科研机构和科研平台数量较少、科技创新激励机制不足、科技与实体经济“两张皮”、产学研结合不够紧密、科技成果转化率低、以企业为主体的技术创新体系尚未形成等方面。由于自主创新能力薄弱，河南很大一部分产业因科技含量低而被锁定在价值链的中低端，在产业分工中处于不利地位。因此，科技创新能力薄弱已成为制约当前河南产业结构的瓶颈。

（3）产业集聚区的发展质量和水平有待进一步提升　一方面，河南不少产业集聚区存在显著的产业布局趋同性问题，特别是在装备制造产业、生物产业、新能源产业等领域尤为明显。不少产业集聚区内存在产业趋同、重复建设、重复投资、低质同构等现象，这必然会造成资源浪费、产能过剩、恶性竞争等严重后果。另一方面，河南部分产业集聚区存在产业配套能力不强、产业聚集度偏低、产业链不够完整、产业集群的竞争优势不突出等问题，产业集聚区内的产业布局不协调，多数产业处在产业链的中游水平，缺乏产业链下游的高附加值企业，这在一定程度上削弱了河南产业集聚区对构建现代产业结构载体支撑能力的发挥。

9.7　新能源材料产业绿色发展建议

9.7.1　顶层布局，加大政策支持力度

完善顶层设计和规划，加强科技支撑，完善相关体系标准规范，加强能力建设，实现战略协同发展。充分发挥企业和科研院所的作用，建立创新良性的协作模式，提高研究成果对企业生产技术提升的推动作用，加强核心技术的专利布局。引导行业建立产品标准，规范市场，营造良好的发展环境。同时，在国家层面上持续加强对立项科研项目的资助，支持新能源材料相关技术的发展，重点关注关键技术薄弱环节，出台相关政策措施，激励材料企业加大研发投入弥补技术短板，积极面对国际市场的竞争。

9.7.2　实施创新驱动，培育优势企业

实施创新驱动，集中行业优势资源协同攻关，发挥材料企业主体作用，加大先进材料的技术研发，持续提升材料性能。增加材料设备研发投入，提高生产工艺的精度、一致性和可靠性，进一步降低成本，提高产业全球竞争优势。同时，加快新能源材料产业结构调整、组织结构设计、技术结构优化，培育一批技

术雄厚、品质优良、行业引领的新能源材料企业，持续推进产融结合，实现跨越发展。

9.7.3 协同联动，开展示范平台建设

加强对科技创新的金融支持力度，通过各类产业投资基金等渠道，加速建设创新中心；通过国家科技计划（专项、基金等）鼓励前沿技术、共性核心技术攻关；加大海外技术合作与引进。另外，在国家重点领域开展生产应用示范平台建设，有序推进产业转型升级，重点完善应用开发软硬件条件，突破关键领域共性应用技术，实现新能源材料与终端产品设计、系统验证、批量应用等的协同联动。

9.7.4 柔性用才，加强人才队伍建设

凝聚产业高端人才，强化人才梯队建设；加强科技领军人才、紧缺人才培养，鼓励企业加大相关投入；实施海外人才引进政策，促进人才开展国际交流。通过柔性用才汇聚创新发展动力，激发人才发展活力，提高国际竞争力，形成国际化、人才集聚规模化的人才格局。

参考文献

[1] 王国英 . 中国式现代化视域下新能源材料产业高质量发展研究 [J]. 塑料科技 , 2023, 51 (12): 117-120.

[2] 何盛宝 , 黄格省 . 中国石油发展新能源与新材料战略对策 [J]. 石化技术与应用 , 2022, 40 (5): 297-301.

[3] 毛建华 . 陈雪华代表：建议保障新能源材料产业链、供应链安全 [J]. 中国有色金属 , 2023 (6): 44.

[4] 顾值 . 促进电池材料应用，助力“碳中和、碳达峰”，构建人类命运共同体——新能源材料分论坛侧记 [J]. 中国材料进展 , 2021, 40 (10): 798-799.

第10章 精细化工产业绿色发展战略

精细化工是生产精细化学品工业的统称，是新时期化学工业中最具活力的新兴产业之一。精细化工已成为当今世界各国发展化学工业的战略重点，而精细化率（精细化工产品的总产值占化工产品的总产值的百分比）在相当大程度上反映着一个国家的发达水平及综合技术水平以及化学工业集约化程度。目前，发达国家的精细化率基本在 60% ～ 70%。

10.1 我国精细化工产业现状

随着世界化学工业向亚洲转移，中国化学工业和精细化工行业得到了快速发展。中国科学院院士、大连理工大学化工学院教授彭孝军表示，目前我国整个化学工业产品占全世界 40% 左右，精细化率 50%。2022 年，中国精细化工市场规模为 5.78 万亿元，预计到 2027 年将达到或超过 8.10 万亿元。2023 年一季度，我国精细化工行业规模以上企业数量为 26000 家左右，其中年产值超过 10 亿元的企业有 300 多家，占比不足 1.2%。

精细化工是我国石化行业的一个重要领域，也是我国石化产业高质量发展的短板。与发达国家和跨国公司相比，无论是整个行业的精细化率还是产品结构都存在明显差距。我国精细化工一直存在着环境污染的问题，在“双碳”目标引领下，发展绿色精细化工技术迫在眉睫、势在必行。精细化工行业应通过技术改进的手段，降低反应条件限制，减少能源的浪费，提高反应的反应率，减少有毒有害副产物的生成，减少化工过程对环境的不良影响，从而实现精细化工生产的清洁化、绿色化，早日实现碳达峰、碳中和。

经过 30 多年发展，我国精细化工行业取得了较大进步，但我国精细化工产品的整体技术水平仍然偏低，企业普遍规模小而分散，生产技术水平普遍较低，精细化工行业的核心技术与国际先进水平还存在一定差距，高性能、功能化和高附加值的精细化学品进口依存度仍然较高。相比发达国家的精细化率水平，我国的精细化工行业仍具有较大的提升空间。随着我国经济的稳定增长、工业化及信息化进程的不断深入、产业结构的调整升级，尤其是国家对精细化工行业的高度重视，未来我国精细化工行业将迎来良好机遇和广阔市场。

10.2 河南精细化工产业现状

精细化工是推动石化化工行业高质量发展的关键引擎，关乎重要产业链供应链安全稳定、绿色低碳发展、民生福祉改善。据不完全统计，全省精细化工企业285家，主要有济源清水源科技股份有限公司、开封龙宇化工有限公司、鹤壁元昊化工有限公司、漯河市新旺化工有限公司等。

河南省精细化工存在大而不强、不化工，更不精细的现象，工厂主要为小型作坊式，普遍采用多台间歇釜并联反应、多台间歇分离塔并联纯化的模式，存在占地面积大、自动化程度低、人员劳动强度大、无组织排放严重、工作环境恶劣且污染严重。河南省内精细化工企业产品丰富，在新的时代背景下，精细化工产业要想抓住时机走上可持续高质量发展道路，实现绿色化、品牌化、精细化、优质化发展，必然要调整产业结构，优化产业布局，做实创新引领，全面提升精细化学品的附加值。

10.3 河南精细化工绿色发展问题剖析

（1）专业人才缺失　主要是企业人才匮乏的问题日益突出，急需一批学历层次高、专业知识强、有工作经验的领军人才全身心充实到科研队伍中，加快推进科研项目进程。

（2）生产技术水平低　河南省精细化工企业多数还是小作坊，缺乏先进的技术，技术研发落后，自动化水平不高，生产装备落后，导致省内精细化工行业整体不强。

（3）低端产品多且开发能力弱　与省外其他精细化工企业相比，从产品品种上，河南省精细化学品品种单一，并且生产规模小、精细化率低、附加值不高等；精细化工企业自主研发能力薄弱，硬件设施尚未完善；科研单位对应用研究、市场开拓及营销关注度不高，严重制约着我国精细化工产业的发展。

（4）环境污染问题严重　精细化工企业在生产过程中产生的“三废”量很大，对环境造成严重污染，很难治理。经济效益与环保问题矛盾突出，应寻找协调发展与环境之间矛盾的对策来真正实现“双碳”转型。

10.4 精细化工绿色发展建议

10.4.1 注重生产技术革新，提高企业核心竞争力

改进和提高老产品生产技术和产品质量。提高原有产品的质量、降低成本、减少对环境污染的新技术是提高产品竞争力的有力手段，企业应予以足够重视。积极开发为高新技术发展配套的新产品、新工艺，加强专用化、系列化、功能化、高纯化产品品种的机理、结构性能和新合成方法的研究，满足高新技术及各行各业发展配套产品的需要，使用连续化反应与节能分离技术、自动控制技术等对现有精细化工进行改造，使产品更加精细化和功能化。

10.4.2 提附加值、重产业链，引领产业向高端化战略转型

（1）鼓励企业建立研发中心　鼓励龙头企业建立工程中心，努力创建省级、国家级工程中心，相关配套企业建立企业技术中心、研发中心，提高企业技术水平和研发能力。鼓励前沿精细化工的方向和领域，产生、转化一批原创性技术和成果，助推河南省精细化工产业层次的提升和产品结构的优化。

（2）加快技术创新联盟和公共服务平台建设　加强与高校的产学研合作，合力实施重点产品的关键技术研发、推动创新成果产业化，同时利用公共平台使全省各个精细化工企业围绕上下游产业链和产品换代升级，加强企业之间技术交流、产品贸易，加快物流、检测中心和专利技术转让等。

（3）积极开发河南省特色精细化学品　河南省作为农业大省，可使用玉米、薯干为原料生产柠檬酸、乳酸等产品，除了在规模上扩大以外，再进行深加工，如生产柠檬酸盐类和乳酸盐类等产品。

10.4.3 提高本质安全生产，推进柔性生产技术及成套装备引进

在可持续发展战略的引领下，我国的化工产业逐渐朝着绿色精细化的方向发展，精细化工产业也将绿色发展作为重中之重，不断高端化和环保化。因此，河南省精细化工产业也应突出绿色理念，积极落实绿色制造政策，运用绿色化工技术，推动工业资源节约与综合利用，降低工业能耗物耗，减少三废排放，提高本质安全生产，推进柔性生产技术及成套装备引进，合理处理传统产业与新型产业

的关系，推进全省精细化工产业高质量绿色发展。

10.4.4 引育留用并举，强化人才支撑

① 加强创新型人才引进，展现团队凝聚力、凸显发展前景，吸引相关创新型人才，同时完善创新型人才的评价与筛选制度，引进企业所需的人才。

② 建立面向精细化工产业的人才服务体系以及相关服务平台，加强创新人才之间的交流与协作，畅通职业发展通道，重视并培养有能力、有潜力、想作为、敢作为的年轻人。

③ 提高精细化工专业人才的薪资待遇，同时在河南设立更多专业高校，同时出台政策鼓励扶持专业、创新人才在省内就业，进一步留住人才并为未来培养人才。

④ 深化学校与省内精细化工企业产学研合作，培养专业技术人才，尤其是在校期间深入参与企业项目或具有顶岗实习经历的人才，使其能够在入职后迅速接管相关项目，甚至带队解决公司问题，最终实现企业、高校、人才三方共赢。

参考文献

[1] 赵瑞，杨箴立．开封精细化工产业集聚区产业现状和转型发展研究 [J]. 河南化工，2023, 40 (1): 59-62.

[2] 任伟，苏振尧，张宏峰．河南省精细化工产业现状及发展对策建议——以开封精细化工产业集聚区为例 [J]. 广东化工，2022, 49 (2): 66-67+73.

[3] 李文鹏，高展鹏，侯翠红．“双碳”背景下河南省精细化工行业转型升级现状及发展建议 [J]. 当代化工研究，2023 (5): 188-190.

[4] 韩微微，崔静涛，姜英，等．辽宁省精细化工产业发展现状及思路分析 [J]. 辽宁化工，2021, 50 (4): 509-512.

[5] 赵磊．新型工业化背景下精细化工产业链高端延伸路径研究 [J]. 江苏科技信息，2024, 41 (8): 18-21.

[6] 孙亮亮．绿色化工技术在精细化工中的应用 [J]. 化工管理，2022 (32): 67-70.

[7] 梁建国．绿色化学视域下的绿色精细化工发展路径 [J]. 化工设计通讯，2020, 46 (7): 175,179.

第 11 章

河南化学化工制造业绿色发展的 SWOT 分析

化学工业是河南省工业经济的支柱产业，在工信部和省委、省政府的正确引领下，已成为河南省工业经济高质量发展最具活力的增长点之一，为省内经济和社会发展做出了较大的贡献。采用 SWOT 分析法对河南化学化工制造业绿色发展的优势、劣势、机遇和挑战进行分析。

11.1 优势（Strengths）

（1）传统优势　河南化工产业经过六十多年的发展，门类发展完备，具有 54 个大门类，基础化工产品优势明显，化工产业基础雄厚；农用化学品、尼龙材料等产业处于全国领先地位，河南石油化学工业已然形成了具有中部特色的产业基础。

（2）资源优势　河南拥有丰富的化工资源，如煤炭、盐碱资源等，河南化工产业发展具有得天独厚的优势。

（3）市场优势　河南省地处中原，交通便利，市场辐射范围广。随着消费升级和市场需求增长，化工产品市场需求逐年攀升，河南省的化工产品在国内外市场上具有较大的竞争力，可建设发展为化工产品的仓储、物流、贸易一体化基地。

11.2 劣势（Weaknesses）

河南化学化工制造业绿色发展中存在煤炭等能源原材料成本高、炼化能力弱，碳达峰、碳减排任务重等问题，在以下 5 个方面还处于弱势。

（1）高水平人才培养机制不健全、化工学科建设不强、科技支撑能力弱、基础研究相对缺乏　河南高校人才培养存在机制创新不足、特色突出不够、结构布局不到位，高水平人才培养机制不够健全；一线专业技术人员短缺，学科建设、人才积累薄弱；化工产业基础研究的能力和产出相对缺乏，生产技术和装备水平不高，难以支撑行业发展。

（2）高新技术研发和转移转化能力弱　河南化工产业缺乏持续的技术研发投入，原始创新能力弱，高新技术研发和转移转化能力弱。

（3）缺乏产业顶层设计，企业对新技术新领域发展认知程度低　河南省化工行业仍以资源型、粗加工的传统行业为主，高新技术产品比例较低，缺乏产业顶层设计。需提升企业对新技术新领域发展认知程度。

（4）受产业和企业市场决定性因素影响和市场意识不强　化工产业受许多因素的影响，如原材料价格波动、环保法规的变化、技术创新等。需加强化工行业的市场风险防范意识。

（5）新技术和产业发展的政策体系和措施不够完善　河南化工产业新技术新兴产业培育相关的政策体系和激励措施不够完善，需建立切实可行的新技术和产业发展的政策体系和推进措施，推动产业向高端化、智能化、绿色化转型。

11.3　机遇（Opportunities）

在“双碳”背景下，绿色低碳发展已成为时代潮流，化工产业格局面临优化，河南化学化工制造业绿色发展面临着很好的机遇。

（1）战略布局转型机遇　河南省处于产业绿色发展转型时期，整个化工行业正在洗牌，在面临转型关键时期。河南化学化工制造业要及时抓住机会，加快战略布局。

（2）数字化、信息化转型、跨越阶段发展机遇　目前，产业处于人工智能数字化信息化改造时期。河南应加快 5G、大数据、人工智能等新一代信息技术与化工行业融合，不断增强化工过程数据获取能力，丰富企业生产管理、工艺控制、产品流向等方面数据，畅联生产运行信息数据“孤岛”，构建生产经营、市场和供应链等分析模型，强化全过程一体化管控，推进数字孪生创新应用，加快数字化转型。

（3）优势化学化工产业有能力与整个新兴产业的发展对接　河南化工传统产业具有很大优势，应在绿色发展转型时期，抓住机会，利用先进工艺与技术，大力培育新兴产业，实现与新兴产业的发展对接。

（4）产品品质和质量提升机遇　随着化工生产技术和高新技术的发展，不单要提升产能，而且要促进产品品质和质量不断提升，实现原料—能源—加工—产品全产业链条向高质量发展、绿色制造转型。

11.4　挑战（Threats）

河南省化学化工制造业绿色发展存在以下挑战。

（1）结构性短缺问题突出，产品结构和市场调整空间和时间压力大　从化工原料到产品全生命周期内，链条长，工艺过程复杂，产品结构调整和市场调整时间紧、任务重；新兴产业市场培育发展需要较长的时间。河南省化工新材料产业本身基础能力薄弱，高端前沿材料对外依存度极高，产业链风险较大，目前处于从中低端产品自给自足向中高端产品自主研发的过渡阶段，电子化学品、医卫材料、工程塑料等领域关键材料仍受制于人。

（2）产业要素支撑不足，整体技术改造、发展层次低，资金、人才、土地压力大　化工产业创新能力不强、技术水平改造、发展层次滞后；产业在延链、强链、补链高质量发展过程中面临着资金、土地（化工园区内仍有基本农田、土地总量不能满足发展需求）、能耗指标、环境容量指标等问题。一是化工园区用地紧张。很大一部分化工园区用地紧张，用地手续办理周期过长，化工产业发展受限明显。二是用能成本过高。相较多数外省，省内化工企业用电、热、气成本过高，生物质锅炉、风电资源不足，电价补贴不到位。三是水资源匮乏。大部分化工生产企业耗水量大，而全省人均、亩均水资源量仅相当于全国水平的 20%，水资源紧张现象比较突出。四是受制于人问题突出，高端人才缺乏，产业链自主可控性较差。

（3）引领发展能力不足，资源、技术、市场竞争压力大　研发投入方式单一，投入不足且分散，原始创新能力弱。创新链不通畅，工程应用研究不足，数据积累严重缺乏，难以抢占战略制高点。河南省多煤、少油、乏气，可再生能源开发利用条件一般，需要从深挖节能潜力、大力发展新能源、加快外引清洁能源等方面同时发力，做好能源绿色低碳转型发展。随着化工产业竞争日益加剧，一方面化工企业不断通过技术创新和工艺改进来提升水平，从而拓宽市场份额；另一方面竞相削减生产成本、降低成品价格，以保护和扩大其市场受众，竞争压力大。

（4）未形成良好的产业发展生态，大宗化工产品价格波动受大环境的影响较大　产业发展环境有待优化（知识产权法律制度不健全），产业支撑体系有待完善（未建立标准体系，检验检测技术水平和服务能力差）。河南化工产业结构偏重，传统产业占比高，难调头，生产空间受挤压，大宗化工产品价格波动受大环境的影响较大。河南省必须高度重视化学化工制造业发展，允许和支持化工产业在一定的时期内适应波动的市场，形成稳定的定力和合并。

第 12 章

河南化学化工制造业绿色发展策略

以推动化工制造业高质量发展为主题，以深化供给侧结构性改革为主线，统筹发展和安全，加快推进产品结构调整、产业布局优化和落后产能压减；加强技术创新突破，大力发展化工新材料和精细化学品；加快产业数字化转型，提高本质安全和清洁生产水平，推动河南省化工产业高端化、园区化、绿色化、一体化发展。提出了河南化学化工制造业绿色发展的策略：技术创新体系的建立；信息技术与制造业的融合；大中小企业的融通；强化要素保障，打造高水平发展载体四个方面。

12.1 技术创新体系的建立

12.1.1 创新主体的培育

坚持科技创新和产业发展深度融合，强化企业创新主体地位和主导作用，促进人才流动和科研资源共享，拓展产业发展新空间。整合区域创新资源，联合开展关键核心技术攻关，打造区域创新共同体，共同完善技术创新链，形成区域联动、分工协作、协同推进的技术创新体系，推进化工新材料产业发展壮大为新支柱产业。推动化工产业与战略性新兴产业深度融合，推动生产方式向柔性、智能、精细转变。

推进实施创新主体培育工程，针对科技型中小企业、科技型“小巨人”企业、高新技术企业发展特点，实施梯次培育扶持，深入开展企业家创新精神培育行动，培育一批“专精特新”和“瞪羚”企业，形成头部企业支撑引领、中小企业众星拱月的科技创新集群。

12.1.2 产学研合作

搭建产学研合作平台作为服务科技创新的着力点，在高校和企业间“铺路搭桥”，助推河南化工产业发展。聚焦企业产业技术需求，深入推进供需对接，实现科研成果转化应用；抓好工作落实，完善工作机制，依托高校和化工园区科创中心，整合高校相关技术、产业、人才等资源要素，搭建起有效、高效的产学研合作平台，把一批优质创新服务和创新发展要素引向园区、引向企业，更好地服务化工产业和地方经济的发展。

成立河南省化学、化工科创产业平台，引领全省乃至全国化工产业科技创新的新路径，建成国家重要的化工、化学科技研发基地；建立产学研联盟，指导服务企业，不断向企业推送高校和科研院所的创新成果，相关研发高校和科研机构深度对河南化工产品进行分析分类，调研行业发展难题，研发新技术，共建研发平台，推动企业转型升级节本增效，实现双赢双促。

12.1.3 创新生态的打造

（1）着力建设河南化工产业创新高地　要坚持面向世界科技前沿、面向经济主战场、面向国家重大需求、面向人民生命健康，完善科技创新体系，打造一流创新生态，推动创新链、产业链、供应链、要素链、制度链共生耦合，增强科技硬实力、经济创新力。

（2）加快建设现代产业体系　把发展经济的着力点放在实体经济上。坚定以制造业高质量发展为主攻方向，常态化开展“万人助万企”活动，滚动推进“三个一批”项目建设，推动先进制造业和现代服务业、数字经济和实体经济深度融合，加快产业基础高级化、产业链现代化，建设化工制造强省。

（3）大力营造浓厚创新氛围　大力弘扬全社会创新文化，倡导科学家精神和工匠精神，完善科技创新容错免责制度，激发全社会创新动能。定期举办河南化工科技创新大会，加强对重大科技创新成果、创新创业典型案例表彰宣传，积极营造尊重人才、尊重创造、鼓励创新、宽容失败的文化和社会氛围。加大科技奖励力度；鼓励区内外高校、企业、园区、科研院所在河南建设创业孵化基地，创建“双创”示范基地和“双创”平台。

（4）提升科技创新服务水平　推进科技领域“放管服”改革，推动科技资源互联互通和科技服务数字化转型，探索建立科技项目实施标志性科技成果、“里程碑式”考核指标等制度。促进科技与金融深度融合，推进投、担、贷等创新服务，引导更多更好的科技项目落地。

（5）完善科技创新推进机制　政府各部门（单位）按照职能分工密切协作，细化工作措施，完善配套政策，全力抓好落实。持续加大财政 R&D 经费投入力度，确保年增速达到 30% 以上，增强对创新驱动的财力保障。加强部门间、政策间统筹协调，定期开展督查调研，确保重点工作任务落实到位。

12.1.4 关键技术的攻克

河南现有规模以上石化企业 1200 多家。虽然经过多年创新，企业产品的科技含量有了一定提高，但受多种因素影响，一些关键核心技术仍未取得突破，在很大程度上制约了企业高质量发展。

组织实施重大科技专项，围绕化工产业链关键环节开展关键技术攻关和产业化，增强创新发展动力。现代煤化工领域重点支持先进煤气化、新型高效催化、煤制油产品附加值提升、煤基烯烃先进生产等技术研发应用；清洁能源领域重点围绕绿能开发、绿氢生产、绿色发展，支持光伏发电、光热蒸汽转化、电解水制氢、绿氢耦合煤化工等技术研发应用；新型储能领域重点支持氢能储运、氢燃料电池、新型锂离子电池等技术研发应用。

围绕化工战略性新兴产业，推进前沿攻关。围绕新兴产业培育壮大，聚焦能源化工、生物化工、半导体材料等新兴产业，重点在智能制造、电子级化学品、碳达峰碳中和 5G 新材料等领域，围绕领军企业做强做优，谋划实施一批重大创新项目，突破一批“杀手锏”核心技术，加速创新突破和融合应用，推动产业掐尖领跑，培育带动新兴产业集群。

围绕未来产业，推进“抢滩”攻关。围绕未来产业前瞻布局，在新一代清洁能源、前沿新材料等领域，以“现有产业未来化”和“未来技术产业化”为重点，聚焦氢能与储能、碳基电子新材料等有前景、有基础的方向，依托创新联合体，加强跨周期战略谋划，实施一批重大创新项目，力争在部分前沿领域实现颠覆性重大突破，实现非对称性赶超，推动产业破冰引领，培育形成若干未来产业的新增长极。

强化机制创新，推进松绑放权。在项目实施方面，突出需求导向，持续改进优化重大创新项目遴选方式，推行“揭榜挂帅”“赛马”“首席专家负责制”“项目专员制”等制度，由过去的竞争择优单一方式，逐步转变为竞争择优、定向委托、推荐备案制等多种遴选形式，满足各类创新主体需求。在经费管理方面，推行科研助理制度，减少科研人员事务性负担，使科学家集中精力开展科研工作；推行经费“直通车”制度，对重大创新项目经费不再按省、市、县（区）分级拨付模式，而是由省直接拨付到项目承担单位，以减少资金拨付的中间环节，充分发挥财政资金使用效益，切实解决资金沉淀问题，真正让企业享受到惠企纾困、鼓励创新的改革红利。

12.1.5 产业基础能力的再造

加快实施化工产业基础再造工程、促进传统产业升级、推进智能制造、发展先进制造业集群是立足当前、着眼长远的战略部署，对于提高河南省化工制造的核心竞争力具有重要意义。

要完善支撑产业基础再造的长效机制。各地需要从战略高度贯彻落实好国家有关专精特新“小巨人”等化工企业扶持政策，加强后期定点追踪，定期或不定期组织政策实施效果评估，及时发现对企业特别是中小企业扶持政策中存在的问题，探寻针对性解决方案。

要加强支撑化工产业基础再造的协同合作发展机制。进一步健全体制内外研发人员流动机制，加快构建企业信用评估体系，提高优质信用重点企业与高校科研院所的联合科研攻关力度，推动公共研发平台人才双向流动机制建设。

在技术领域，要突破化工“卡脖子”技术瓶颈，锻造产业发展领先优势。重点聚焦国内空白技术领域，聚焦重点领域、薄弱领域、产业链缺失环节，实施关键核心技术和产品攻关工程，集中力量补基础，降低“卡脖子”风险。通过打造一批新型共性技术平台，加强基础领域产业共性技术、高端技术、前瞻性技术研究攻关，解决关键共性技术问题。

健全支撑化工产业基础再造的基础产品市场推广应用体制。筛选关键产业领域的重点企业库，提高整机企业与关键零部件、基础材料等领域的企业专家在技术成果与新产品评估中的话语权，调动上下游企业参与前置研究的积极性，提高供需匹配度。

12.2 信息技术与制造业的融合

12.2.1 智能制造的应用

多年来，河南省石油和化工行业不断推进“两化”融合，已具备较好的自动化和信息化基础。一些数字化、网络化、智能化生产运营管理模式初步形成，一批智能制造企业脱颖而出，数字化车间、智能工厂等不断涌现，高质量发展成效初步显现。但同时存在制约化工企业推进智能化改造和数字化转型的瓶颈，主要表现在：缺乏对智能制造的系统性认知和整体规划，企业内在动力不足，转型信心不足；智能制造基础薄弱；企业装备数字化、联网率偏低；智能化改造技术和装备缺乏国际竞争力。

要依托工业互联网平台构建数字化智能工厂，集成办公自动化、数据分析平台、供应链协同系统、安全管理、设备监控、AI 识别等模块，形成从原材料到产品销售的全流程智能管控。通过“数据贯通”与“智能决策”的深度融合，实现生产运营全要素的数字化、网络化、智能化升级，形成安全可控、绿色高效、柔性协同的智慧工厂新模式。

河南化工制造应推进企业智能化改造数字化转型，推广应用智能装备，推进“机器换人”和生产线智能改造，提升核心装备和关键工序智能化水平；建设并遴选一批数字化车间、智能工厂标杆，加快拓展工业应用场景。

12.2.2 工业互联网的推进

巴斯夫化工有限公司依托建设 5G+ 智慧专网，可实现远程观看实时画面并巡检，还可通过 AR 智能眼镜，远程指挥 5G 机器人协同配合进行远程生产巡检工作。机器人还可实现软件连接泄漏检测自主报警，智能识别并读取现场表盘数值、智能识别噪声水平等功能。

面向“十四五”时期城市数字化转型的重点任务和制造业数字化转型的阶段性目标，河南化工园区应围绕“建设、管理、运营、服务”四个关键环节，在“设备互联互通、数据创新应用、设备平台安全”三个重要维度深耕，在“上云、用数、赋智”三个主体层面发力，让园区高质量发展的标志性领域取得突出进展，助推经济数字化制造版块“一业一策”，在石化流程工业领域和化工专业园区落地见效。

河南化工制造业要加快新技术、新模式与石化化工行业融合，不断增强化工过程数据获取能力，强化全过程一体化管控，推进数字孪生创新应用，打造面向行业的特色专业型工业互联网平台及化肥、轮胎等基于工业互联网的产业链监测系统；发布石化化工行业智能制造标准体系建设指南，推进数字化车间、智能工厂、智慧园区等示范标杆引领，强化工业互联网赋能。

建设“河南工业互联网资源池”，搭建工业互联网一体化公共服务平台，实施重点园区封闭化管理，推动园区管理服务、安全生产、企业监测等向数字化、网络化、智慧化转型。打造面向行业的特色专业型工业互联网平台，对技术先进、性能优秀、应用效果好的工业互联网平台给予一定的补贴；引导中小化工企业“上云上平台”，借助平台加快工艺设备、安全环保等数字化改造。

河南省人民政府办公厅印发《河南省加快制造业“六新”突破实施方案》的通知提出，积极发展技术基础设施，加快发展工业互联网。支持企业运用新型网络技术建设企业内网，打造内网改造标杆和 5G 全连接工厂。加快洛阳、许昌、漯河等城市工业互联网标志解析二级节点应用推广，支持有条件的地方依托骨干企业新建一批二级节点。建设全省工业互联网公共服务平台，打造制造业“智慧大脑”，构建多层次工业互联网平台体系。到 2025 年，打造 100 个制造企业内网改造标杆，建设 10 个左右工业互联网标识解析二级节点，基本建成覆盖制造业重点领域的工业互联网平台体系。

12.2.3 服务型制造的发展

服务型制造是先进制造业和现代服务业深度融合的典型模式，也是顺应新一轮科技革命和产业变革，增强制造业核心竞争力、培育现代产业体系、实现高质量发展的重要途径。工业和信息化部等 15 个部门联合发布《关于进一步促进服务型制造发展的指导意见》中明确提出，要“发展信息增值服务，探索和实践智能服务新模式”“持续推动服务型制造创新发展，促进制造业与服务业融合”。

组建石化、化工行业智能制造产业联盟，培育具有国际竞争力的智能制造系统解决方案供应商，提升化工工艺数字化模拟仿真、大型机组远程诊断运维等服务能力。

12.3 大中小企业的融通

12.3.1 龙头企业的培育

坚持把培育龙头企业作为促进工业转型的关键，支持基地内企业围绕主导产业谋划建设重大项目、开展跨区域战略重组。按照“扶引大龙头、培育大集群、发展大产业”战略部署，聚焦“扶”和“引”两点共同发力，着力培育一批具有国际竞争力、区域影响力、产业带动力的龙头企业，充分发挥龙头企业在构建国内大循环为主体、国内国际双循环相互促进的新发展格局中的引领作用。

河南省以省辖市为主，依托现有化工园区、龙头企业，促进全省化工产业集聚化、协同化、高端化发展，着力建设一批布局结构优、规模体量大、延伸配套性好、支撑带动性强的现代化工基地。

以安阳、新乡、驻马店、济源为主，建成“双头多尾”“煤焦化”“煤气化”齐头并进、以煤基精细化工产品和煤基化工新材料为主导多元发展的国内一流现代煤化工基地；以平顶山、漯河、焦作、济源为主，加快发展氯碱、纯碱下游精深加工产业，拓展耗氯精细化工产品在生物医药、锂离子电池等领域应用，建设现代盐化工基地；以濮阳市为主，建设新型化工和生物基材料产业基地；以焦作市为主，建设全国重要的钛白粉、新型锆材、钛基新材料基地和氟基新材料、电子级化学品基地；以鹤壁市为主，建设聚甲醛、聚氨酯、丁腈胶乳等功能性新材料基地和高端日化产业基地；以新乡市为主，建设全国最大的功能聚酯、生物基纤维及合成纤维生产基地；以开封市为主，建设全国重要的新型环保农药产业基地和环保涂料生产基地；以南阳市（桐柏）为主，建设碱硝化工产业基地。以濮阳、鹤壁、商丘、义马为主，支持河南能源“1+4”产业集群建设，着力打造“1 个”全系列生物降解材料产业［聚丁二酸丁二醇酯（PBS）、聚己二酸 / 对苯二甲酸丁二醇酯（PBAT）、聚乙醇酸（PGA）、聚乳酸（PLA）］，做优做强“4 个”高端功能性新材料［聚甲醛（POM）、聚乙烯醇（PVA）、发泡聚对苯二甲酸乙二酯（PET）、特种碳纤维］产业，努力建成全国最大的生物降解材料和高端功能性新材料产业集群。以平顶山市为中心，以平煤神马集团为龙头，辐射驻马店、济源、襄城等周边地区，大力发展尼龙 66 和尼龙 6 产业，积极布局拓展工程塑料和尼龙纺织产业，建设具有全球竞争力的尼龙化工产业集群。以洛阳石化为龙头，依托千万吨级炼油产能基础，谋划实施百万吨乙烯及下游配套项目、百万吨芳烃产业链项目，带动焦作、济源等地协同融合发展，着力建成中西部地区最具影响力的高端石化产业集群。

12.3.2 专精特新企业的发展

企业是创新的主体，是推动创新创造的生力军。党的二十大报告提出支持专精特新企业发展。习近平总书记致信祝贺 2022 全国专精特新中小企业发展大会召开时强调，希望专精特新中小企业聚焦主业，精耕细作，在提升产业链供应链稳定性、推动经济社会发展中发挥更加重要的作用。这为专精特新企业深化改革、强化创新指明了方向。

专精特新是河南化工制造业转型升级的方向所在，也是我国企业在国际竞争中占据优势的制胜之道。从企业自身发展看，通常认为企业竞争战略主要有 3 种：低成本战略、专一化战略、差异化战略。当前，我国企业低要素成本的比较优势在衰减，但在专一化和差异化方面大有潜力可挖。专一化意味着专和精，差异化意味着特和新，这两个方向都离不开创新驱动。创新是企业发展的灵魂，专精特新企业要更加注重技术原创、专利储备和“极端制造”，努力培育具有国际一流水平的关键产品，不断推动中国制造从跟随模仿迈向并跑领跑。让更多专精特新企业涌现出来，深度参与全球产业分工和合作，是提升我国化工制造业国际市场竞争力的重要突破口，对于推动我国化工制造业向全球价值链中高端攀升意义重大。

推动化工制造业高端化、智能化、绿色化发展，专精特新企业将发挥重要作用。对专精特新企业而言，补短板是当下之需，锻长板是长远之策。必须根据外部环境的变化，选择合适的产业路线和经营模式。发挥企业家精神和工匠精神，打造更多“独门绝技”和“杀手锏”，必能助力我国制造业在国际市场竞争中始终居于主动地位，为加快建设制造强国注入新动能。

12.4 强化要素保障，打造高水平发展载体

12.4.1 扩大开放合作，营造良好的营商环境

坚持扩大高水平对外开放不动摇。化工产业市场需求巨大，绿色化工领域合作前景极为广阔。河南省应以产业发展为主线、国际合作需求为导向，积极搭建绿色化工产业跨境合作平台，为化工企业提供更多发展机遇。营造市场化、法治化、国际化营商环境，坚持高质量引进来、高水平走出去，促进要素资源高效配置。

12.4.2 加强要素保障和财政资金引导

加强土地、能源、资金等要素保障，加大财政税收等政策支持力度。加快集聚科技创新创业人才。实施科技领军人才和创新团队引进计划。围绕重点领域和优势特色产业，面向国内外柔性引进能够统领相关学科、行业产业的科技领军人才和创新团队，采取“一事一议”方式，给予科研经费支持。

加强财政、金融、区域、投资、进出口、能源、生态环境等政策与产业政策协同。设立河南省化工产业转型发展基金，支持化工产业转型升级和高质量发展；设立化工企业搬迁改造专项资金，支持全省化工企业搬迁入园和园内企业升级改造；鼓励银行对符合要求的化工企业给予信贷支持，支持符合条件的化工企业上市融资；加强化工专业人才培养和从业员工培训。

12.4.3 打造化工园区发展载体

化工园区建设在加快石化产业上下游协同发展，促进资源循环利用，提升安

全环保水平，推动企业技术进步、管理创新、产品结构调整，促进区域经济绿色协调发展等方面具有十分重要的作用。与发达国家的先进化工园区相比，我国化工园区建设还存在不少短板，创新要素引聚能力较弱、绿色发展水平、数字化融合水平都有待提升，特别是发展特色不突出，产业链协同耦合不紧密，产业集群发展不明显，产值小于100亿元的小型园区数量多而散，促进高质量发展的平台作用发挥不充分，亟待通过产业创新和管理创新实现更高水平的内涵式发展。杨松峰指出，石化产业高质量发展离不开化工园区的高标准建设和规范化管理，打造一流化工园区，推动石化产业高质量发展，要立足实际、守正创新，在集约化、高端化、绿色化三方面下功夫。

化工园区已成为石化行业高质量发展的“主阵地”。河南化工园区要加快打造成为转变经济发展方式的重要载体，从区位、技术、资源、市场、环境等全方面综合分析自身的比较优势，结合当前产业结构调整、技术创新的发展方向，推进化工产业集群化发展，不断延链补链强链，围绕培育新动能新优势，深入推进绿色化智能化，努力做因地制宜发展新质生产力的“排头兵”。一是持续优化产业布局，开辟集群化发展新赛道；二是提升创新要素引聚能力，建设发展新质生产力新高地；三是深入实施循环化改造，构建绿色低碳发展新方式；四是加快推进数字化赋能，坚持走新型工业化新道路；五是深化体制机制改革，不断激发园区内生新动力。

12.5 河南省化工产业降碳减排的技术路径

从化工原料到产品整个过程中，化工起到关键中枢作用。化学工业既是二氧化碳高排放行业，又是二氧化碳回收利用行业，是实现碳达峰、碳中和目标，减少污染物排放的重点领域。

（1）源头优化，化石资源利用低碳化　对于化工企业而言，用生态友好的绿色原材料（如生物基材料、可回收材料）替代化石原料的挑战与机会并存。化工企业可以通过开发绿色原料的新产品，丰富和优化自身的产品组合；同时，适时调整价格策略，制定与绿色产品相适宜的价格，提高潜在收益；布局较快的企业，可以利用先发优势尽快建立采购与生产环节的规模效应，打造竞争优势；最后，作为绿色原材料应用的先行者，可以引导下游绿色消费，扩大对市场的影响力。

但同时面临发展的桎梏：一方面，企业如果不及时探究绿色原料替代的可行性，可能被竞争对手赶超，或现有的化石原料产品将受到抵制、需求减少；另一方面，对于传统化工企业来说，以生物基或可回收材料作为原料的生产工艺较石油基为原料的跨度较大，对菌种技术、设备、流程、资金等均提出新的要求。

（2）节能减排，实现生产过程减碳化　通过管理优化、设备升级、技改与流程优化以及能源梯级利用等方式提升企业现有业务的运营效率，促进节能减排。例如，全球领先的化工巨头巴斯夫改造并应用低碳的生产工艺技术，与沙特基础工业、林德合力研制全球首个用电替代蒸汽加热的电解炉。同时对生产过程中产生的余热综合回收利用，利用零碳热泵和蒸汽压缩机技术，将余热回收生产蒸汽，提高能源利用效率。

（3）发展循环经济，二氧化碳原料化利用　循环经济是低碳可持续发展的重要方向，实际落实过程中面临保障原料供应、构筑成本竞争力、调整运营模式、长期坚持以及建立生态合作体系的关键要求。应加强 CO_2 综合利用技术研究。CCUS 是捕集、利用和储存 CO_2 的技术，对实现碳中和至关重要。CCUS 需要技术创新以实现低成本和近零能耗捕集，同时实现碳封存与地下资源开采协同和风险管理技术。相对于其他行业来说，化工行业由于排放的二氧化碳浓度较高，具有碳捕集的成本优势。同时，化工行业也是二氧化碳的主要利用领域，不少企业纷纷探索通过化学反应将二氧化碳转变为其他物质后再次利用，例如二氧化碳制甲醇与塑料等。理论上二氧化碳可制备多种化学品，但目前仍处于起步阶段，仅有少数技术具有经济可行性和拓展可行性。

（4）产业布局，控增量减存量保总量　存量方面，一是促进传统制造业绿色转型，推动钢铁、有色、石化化工、建材等产业数字化、智能化、绿色化融合发展，加强低碳工艺革新和技术节能，推进能源清洁高效利用和高耗能设备系统节能改造，加快淘汰落后产能，不断提升产业附加值。二是限制高耗能高排放低水平项目，严控盲目新增行业产能，加强准入环节的项目节能环保审查，加快先进能效产能替代落后低效产能，降低经济增长对高耗能高排放发展路径的依赖。三是推动农业绿色发展，充分发挥固碳增效作用，推广“农光互补”“光伏＋设施农业”等低碳农业模式，提高资源利用效率，提升生态效益。

增量方面，一是大力发展战略性产业集群，积极引领新兴产业高起点绿色发展，推动形成经济增长新动能。前瞻布局战略性新兴产业，加快发展化工新材料、半导体与集成电路产业、高端装备制造、新能源产业、前沿新材料产业等新兴产业。二是积极发展绿色低碳产业，建设绿色制造体系和服务体系，提高绿色低碳产业在河南省经济总量中的比重。大力发展高效节能装备制造、先进环保装备制造、资源循环利用装备制造、新能源汽车等节能环保产业，在全省形成上下游产业链较为完整、产业结构合理的节能环保产业集群。三是支持发展新能源行业，积极发展可再生能源。

（5）参与碳交易、碳汇等金融手段，优先使用森林碳汇 “双碳”战略目标下，碳汇激活森林、草原、湿地、海洋、土壤等生态系统潜能，尤其是资源占比最高的森林碳汇，成为撬动绿色转型发展的重要支点。相比工业碳捕捉减排，森林碳汇具有成本低、易施行、兼具其他生态效益等显著特点，是目前最为经济、安全、有效的固碳增汇手段之一。化工企业还可以考虑通过碳交易、碳汇的方式实现碳控目标。

伴随全球产业发展低碳化的趋势，化工企业碳中和转型既是其所面临的时代挑战，也是调整自身业务以提高竞争力、实现可持续发展的机遇。企业应化挑战为机遇，及早布局尤为关键。一方面，通过能效提升、流程优化、采用清洁能源等方式促进现有业务节能减碳；另一方面，关注并探索先进减碳技术与模式的发展及商业化落地，有条件地开展小规模的试点与部署，促进化工产业低碳绿色升级转型发展。

参考文献

[1] 河南省人民政府办公厅关于印发河南省加快制造业“六新”突破实施方案的通知 [EB/OL].(2024-03-04).

[2] 人民网李玲 . 化工园区成石化行业高质量发展“主阵地”[EB/OL]. (2024-11-11).

[3] 翟海文 . 河南省工业互联网规模化应用的问题与对策研究 [J]. 河南科技 , 2024, 51 (19): 140-143.

[4] 吴丽琳 . 河南加快制造业“六新”突破 [N]. 中国电子报 , 2024-03-26 (003).

[5] 陈辉 . 以数字化引领新型工业化 [N]. 河南日报 , 2023-11-30 (001).

[6] 刘嘉文 . 物联网与大数据融合在化工企业智能制造中的应用探索 [J]. 信息与电脑 , 2025, 37 (3): 84-86.

[7] 丁玉林 . 智能制造在化工企业电气设备中的应用与发展前景 [J]. 化工管理 , 2024 (30): 92-95+108.

[8] 周欣 . 数字化转型推动化工企业向“新”向“智”[J]. 信息化建设 , 2024 (9): 58-59.

[9] 张雷 . 煤化工智能制造的关键技术与产业升级路径研究 [J]. 中国石油和化工 , 2024 (8): 79-81.

[10] 吴卓迅 . 河南能源推动化工产业绿色低碳发展的问题与对策 [J]. 中国煤炭工业 , 2023 (8): 73-75.

第 13 章

河南化学化工制造业绿色发展战略研究

化学工业是河南省工业经济的支柱产业，在工信部和省委、省政府的引领下，已成为河南省工业经济高质量发展最具活力的增长点之一。

2023 年，全省现有规模以上化工企业 1378 家，化工行业实现营业收入 5769 亿元，同比增长 2.4%，其中年营业收入超 100 亿元的 10 家，分别是：平煤神马、洛阳石化、丰利石化、河南能源、心连心、洛阳宏兴新能、龙佰集团、金大地、利源集团、金马能源。2022 年，化工行业能源消费量 2290 万吨标准煤，同比增长 8.9%；煤炭消费量 2242 万吨，同比增长 11.37%。主要耗能行业在石油石化、煤化工、焦化、氮肥、纯碱、烧碱、无机盐等行业，能源和煤炭消耗量大，节能降耗、绿色低碳转型任务仍非常艰巨。河南省化工行业规模不小，但主要以基础化工为主，产业结构比较单一，升级进度不足。受各方面因素影响，近几年化工项目投资、建设与以往相比有缩减，项目也从以前的基础化工逐步向精细化工、高端产品发展，产业结构正在逐步调整。

河南省化工新材料产业链涵盖先进高分子材料、电子化学品、生物基材料、氟基新材料、绿色涂料、钛基新材料六个方面，能源消耗主要以燃气、蒸汽和电力组成，省内化工新材料产业链企业数量多，而用能主要存在装置规模化水平差距较大、能效水平参差不齐、原料结构有待优化等问题，仍以高耗能、低产出产品为主，合成氨、烧碱和纯碱等基础化工产品占比较大，化工新材料、精细化工产品等发展较为薄弱，全省年综合能耗 5000 吨标准煤以上的重点用能单位 125 家，能源和煤炭消耗量大，节能降耗、绿色低碳转型任务仍非常艰巨。2023 年河南省培育创建化工产业相关国家级绿色工厂 10 家，省级绿色工厂 17 家，省级绿色供应链示范管理企业 1 家，省级绿色设计产品 6 项。根据《河南省发展和改革委员会办公室 关于河南省重点领域 2022 年能效对标情况的通报》，2022 年全省石化化工行业和焦化行业分别有 35 家和 4 家企业达到能效标杆水平。

13.1 发展现状

（1）河南省化工产业规模持续壮大，水平稳步提升　河南省基础化工产品优势明显，农用化学品、尼龙材料等产业处于全国领先地位；工艺技术装备水平和能源资源利用效率不断提升。

（2）节能减排、绿色发展转型成效显著　化工行业绿色低碳产品研究和碳减排转型持续深入，绿色制造体系建立，化学工业能效全面提升。河南省内合成氨、烧碱、纯碱等高耗能行业能耗指标国内外先进地位。

（3）新质生产力加快发展形成　河南省大力培育壮大新兴产业，具有高科技、高效能、高质量特征的行业不断推动新质生产力形成，新兴产业发展向好。

13.2　发展困境

（1）顶层设计不足，产业结构不合理　河南省化工行业仍以资源型、粗加工的传统行业为主，高新技术产品比例较低，低碳环保压力大，绿色发展与产业转型面临较大的压力，土地、能耗、环境容量指标等严重制约煤基重化工的发展，增长空间受限。

（2）研发投入不足，原始创新能力不强　化工产业缺乏持续的技术研发投入，原始创新能力弱，特别是化工过程关键技术和核心装备缺乏。

（3）化工学科建设薄弱，专业技术人才与产业发展不匹配　鉴于对化工行业的认识存在偏见，近二十年河南化工高等教育落后于产业发展，一线专业技术人员短缺，学科建设、人才积累薄弱，难以支撑行业发展。

13.3　发展建议

河南化工行业的发展，以市场需求和国家产业政策为导向，以结构调整和产业升级为主线，以科技创新为动力，以技术改造为手段，按照“扩大规模、集约集聚、循环发展”的总体思路，着力培育产业集群、重点企业和优势产品，促进产业集聚，发展循环经济，优化产业布局，调整产业结构，强化自主创新，推进技术改造和产品上档升级，提高河南省现代化工行业的效益，提升产业综合竞争力；重点发展化工新材料、煤化工和先进装备制造、现代化工新材料和新能源汽车装备制造、新型煤化工、功能性新材料和日用化工、新型煤基能源化工等产业聚集区，各产业聚集区重点扶持壮大一批具有较强经济实力强、知名度高的企业集团，全面提升产业竞争力。

河南化学化工制造业绿色发展建议有以下五个方面。

（1）加强顶层设计，优化产业结构布局　加快融入国内外行业发展格局与规划，形成河南特色的化工产业布局。建议成立河南化工产业高质量发展领导小组，建立先进技术转移转化中试基地，建设化工仓储、物流、贸易国家产业园。

（2）加强化工产业的科技创新，着力发展循环经济　设立化工科技发展基金，加大对绿色化工技术研发和技改投入，持续开展化工产业的新技术和新工艺研究开发与推广，推广清洁生产工艺和节能减排技术，加强化工制造业资源高效综合利用，构建化工制造过程绿色化的循环经济发展格局。

（3）强化化工制造产业链，通过产品高值化推动制造绿色化　推动传统化工向新材料、电子化学品、精细化学品等高端化产品延伸和拓展；加快推广高效催化、溶剂替代、直接转化、微反应等清洁生产技术，实现生产清洁化；推进“煤电化能”一体化和氢能源利用建设示范，提高绿色能源利用比例，实现河南化工制造业的绿色化生产。

（4）重视化工学科建设，提升基础研究和专业人才培养能力　重点支持3～4所河南省高校的化工学科建设，重点开展化工原料和反应介质、合成工艺和制造过程绿色化技术开发，加大卓越化工人才培养力度，为河南化工制造业绿色发展提供具有实践能力和创新能力的技术骨干。

（5）设立新技术推广应用产业基金，推进数字化智能化绿色化转型　基于化工行业的产业特征，建设一批工业互联网、大数据、5G等信息技术应用示范工程，推广应用智能装备、“机器换人”和生产线智能改造，建设一批数字化车间、智能工厂标杆，推进化工园区/企业智能化数字化转型，用信息技术推动绿色化生产。

13.4　发展思路

“十五五”期间，河南省化工产业在发展格局、发展战略和市场等方面仍处于重要机遇期，应持续推进转型升级程度。坚持高端化、绿色化、智能化发展方向，做强基础原材料产业，不断提升新材料比重。

（1）科学调控产业结构　科学推动传统煤化工转型升级，加快煤基化学品向化工新材料延伸；加快推进炼化项目“降油增化”，延长石油化工产业链；巩固和提升盐碱化工产业优势地位，发展氯碱、纯碱下游精深加工产业。

（2）加大化工基地培育力度　加大濮阳新型化工和生物基材料产业基地，焦作钛基新材料、新型锆材、氟基新材料和电子级化学品基地，鹤壁功能性新材料、高端日化产业基地，新乡功能聚酯生产基地，开封新型环保农药、环保涂料生产基地，南阳碱硝化工产业基地培育力度。

（3）加快推动项目建设　树牢“项目为王”理念，认真落实“三个一批”，不断催生调结构突破点、新动能增长点。打造市场化、法制化、国际化营商环境，降低制度性交易成本，提振市场主体信心。重点推动洛阳石化百万吨乙烯、金大地千亿级氟硅新材料、山东炼化百万吨高端化工新材料等重大产业链重大项目建设。

（4）做好生产要素保障　对于超半数以上化工园区扩区需求，在满足基本条件情况下，支持园区科学有序扩大发展空间。深化电价改革，创新化工产业电价形成机制，支持煤化、石化等企业利用自有蒸汽发电进行自用或在电力市场挂牌交易。充分利用省内外支持资金，搭建平台，解决产业资金需求。